武器としてのエネルギー地政学

2030年、石油・ガス・脱炭素覇権の真実

エネルギーアナリスト
岩瀬昇

ビジネス社

はじめに

ロシアのプーチン大統領は、ウクライナの属国化を目指して侵略戦争を始めた。2022年2月24日のことである。

筆者はこれを「プーチンの戦争」と呼んでいる。事《こと》の本質を考えると、この戦いは長期化必至である。

なぜなら、ウクライナとロシアは歴史的に一体であると考えるプーチンは、ウクライナを実質属国化するまでやめないだろうし、「力による現状変更を許さない」という価値観を共有する西側の支援を受けるウクライナ側も、力尽きるまで抵抗を続けるだろうからだ。

この戦争は、何らかの形でプーチンが倒れるまで終わらないのではないだろうか。

「プーチンの戦争」は、普段、私たちが気づいていない大事な問題を突きつけている。それは、当たり前すぎるからか、日常生活を過ごすうえでほとんど意識することがないエネルギーの問題だ。

考えてみよう。皆さんは、毎朝、起きてから何をしているだろうか?

洗面所に行って、あかりをつけ、顔を洗い、歯を磨く。

ラジオやテレビのスイッチを入れ、お湯を沸かしてトーストを焼く。

朝食後、自宅の近くでバスに乗り、最寄りの駅に行く。

オフィスビルに着いたらエレベーターに乗り、自分の机に向かう。

PCを始動して、メールをチェックする。

ランチタイムには同僚と社員食堂に向かう。キャベツが大盛のとんかつ定食が目に入ったので、普段の野菜不足を補おうと注文する。


いちいち気にすることはないが、これらの動作・行動のすべてにおいてエネルギーが使われている。電化製品は電気がなければ使えないし、バスも燃料である軽油がなければ動かない。

ランチで食べたとんかつ用の豚肉も、もしかしたら輸入品かもしれない。だとすると、それを運んだであろうコンテナ船の燃料、重油も必要だ。

さらに、バスも電車もオフィスビルもエレベーターも、セメントや鉄鋼製品など大量のエネルギーを使って製造したものを資機材としている。

このように、私たちの生活は大量のエネルギー消費のうえに成り立っているのだ。

ウクライナを支援するEU（European Union＝欧州連合）などは、ロシアの戦争遂行能力に打撃を与えるべく、数多くの経済制裁を課している。

その1つが、ロシア経済を支えているエネルギー輸出収入を減らそうとする「禁輸」だ。ロシア産石炭の輸入禁止は、2022年8月から始まった。本稿を書いている11月末現在、原油は2022年12月5日から、ガソリンや軽油などの石油製品は2023年2月5日から輸入禁止となる予定だ。

わが国も、価値観を共有する主要先進国からなる「G7」の一員として、ロシアに対して同様の経済制裁を科している。

これに対してプーチンは、1970年代初めからパイプラインで供給しているヨーロッパ向け天然ガスの供給を止めるなど、エネルギーを「武器」として使用し、西側の経済制裁に対抗している。

これは、ウクライナの地で戦われている戦闘行為とは様相を異にしているが、それでも意味合いはまったく同じ戦争、すなわち「エネルギー戦争」である。

2020年2月12日「参議院資源エネルギーに関する調査会」に参考人として出席した

筆者は、意見陳述で次のように述べた。

「平時はコモデティ、一朝事《いっちょうこと》が起こると戦略物資、それが石油です」

コモデティとは「一般商品」のことだ。生産者がどこの誰であるかに関係なく、市場に大量に流通しており、その時々の市場価格を支払えば、いつでも、誰でも、いくらでも買うことができる。それがコモデティだ。

グローバル化が進行し、世界がおおむね平和で自由貿易がスムーズに遂行されるなか、エネルギーのコモデティ化も進んでいった。ゆえに「持たざる国」日本も、エネルギー供給の心配をさほどしないで済んできた。

一方、戦略物資とは、国家の安全保障を支える重要な物資のことである。欠乏すれば、国家として生きていくことが困難になるエネルギーは、戦略物資の最たるものだ。

「プーチンの戦争」は、「平時はコモデティ」であるエネルギーが「有事は戦略物資」となることを、私たちにまざまざと見せつけているといえるだろう。ヨーロッパのみならず世界中が、エネルギー価格の高騰に見舞われ「量」の確保に奔走している。

はたして、これからどうなるのだろうか？

振り返ってみれば、第1次オイルショックが起こったのは1973年。その年に生まれた人はもう50歳だ。物心がつく年齢が5歳ごろだとすれば、オイルショックの5年前、1968年生まれは55歳になる。

現役世代とされる65歳未満の人口構成のなかで、1968年以前生まれはもはや少数派。働き盛りの人のほとんどが、「石油危機」を実体験していない世代なのだ。

繰り返すが、わが国は「エネルギーを持たざる国」だ。そんな日本の現役世代の多くの人々にとって、エネルギー供給に問題が生じる事態が訪れるなど、おそらく考えたことすらないだろう。

だが残念ながら、誰も真剣に考えないあいだに状況は確実に悪いほうへと進んでいる。日本の電気代は、「プーチンの戦争」による原油価格高騰と夏以降の円安の影響を受け、もっと高くなる。筆者の知人は早くもこの春、「地獄は冬にやってくる」とつぶやいていた。本書を手にされている皆さんも、おそらくそう実感されていることだろう。

その反面、SDGs（Sustainable Development Goals＝持続可能な開発目標）、グリーン化、脱炭素、排出量ゼロといった言葉を聞かない日がないといっても過言ではないのも、また事実だ。

つまり、われわれ人類が直面している課題は、「More Energy Less Carbon」（より多くのエネルギーを、より少ない温室効果ガス排出で供給する）という、相矛盾する命題の同時解決なのだ。

そこで本書では、こうした問題意識に基づき、「プーチンの戦争」が世界にもたらした衝撃を分析しつつ、エネルギーとは何なのかということを再確認していきたい。

そのうえで主要各国のエネルギー事情を概観し、地球温暖化への対応策としてのグリーン政策の光と影を根本から見つめ直していく。さらに「持たざる国」の一員として、わが国のエネルギーについてどう考え、行動すれば国益に資するのか。読者の皆さんと一緒に未来のエネルギー戦略を探っていきたい。

本書を手に取られた方には、これも何かの縁と思い、お付き合いくださることを祈念している。

第1章 「プーチンの戦争」で激変したエネルギー地政学

第2章 「環境先進国」ヨーロッパの理想と限界

第3章 「世界最大の産油国」アメリカの次なる野望

第4章 「エネルギー百年の計」を着実に進めるしたたかな中国

第5章 脱石油を目指す「中東の雄」サウジアラビアの復権

第6章 世界の未来を変える「グリーン政策」の光と影

第7章 「持たざる国」日本の進むべき道

第1章

「プーチンの戦争」で激変したエネルギー地政学

「ウクライナにはもう、安全な場所はどこにもない」

同僚から、ロシアのウラジミール・プーチン大統領が演説で侵略を発表したというメッセージを受け取った時、夜中だったけれども、私は起きていた。

それからすぐに爆発が始まった。自宅からも爆発音が聞こえた。キーウ（キエフ）のあちこちに住む人たちから、近くで爆発があったと、ＢＢＣのワッツアップ（引用者注：ＳＮＳアプリ）グループにメッセージが送られてきた。

ウクライナ東部の最前線ではなく、キーウが攻撃されているというのは、大きなショックだった。

ウクライナにはもう、安全な場所はどこにもないのだ。

これは、ＢＢＣウクライナ語編集長のマルタ・ショカロが、ロシア軍の侵攻初日の様子を報じている2月25日の記事の書き出しだ。

２０２２年2月21日、親ロシア派軍事勢力が実効支配しているウクライナ東部の「ドネツク人民共和国」および「ルハンシク人民共和国」の「国家」承認を行ったプーチン大統領は、その両国の「要請に応じて」治安部隊を派遣した。

前年秋からウクライナ国境周辺に集結していたロシア軍は、すでに十数万人に達していた。専門家筋は「プーチンの命令さえあれば、すぐにでも軍事侵攻できる体制は整っている」と認識していた。それでもロシア軍の目標は、せいぜいウクライナ東部のドンバス地域、つまりドネツクとルハンシクをクリミア化することだと見る向きが多かった。

ところが３日後の２月24日、ロシア軍は東部のみならず南部、さらにはベラルーシ経由で北部から総攻撃を開始した。首都キーウを陥落させ、ゼレンスキー大統領を殺害、あるいは拘留するか、少なくとも国外亡命を余儀なくさせ、傀儡《かいらい》政権樹立を目指しているのは明白だった。

ショカロＢＢＣ編集長のみならず、世界中の人々を驚かせた〝暴挙〟そのものである。コーカサス地方を中心とする旧ソ連・ロシア政治を専門とする廣瀬陽子慶應義塾大学教授は、「論理的な説明はできない。まったく合理性がない決断だ」と慨嘆していた。

では、そもそもプーチンはなぜ全面侵攻を命じたのか。

真相はわからない。おそらく、プーチン大統領にしかわからないのではないだろうか。ただし、軍事も国際政治も素人である筆者は大胆に次のように考えている。

ウクライナ侵攻に先立つこと約２週間の２月７日、フランスのマクロン大統領はモスクワを訪れ、プーチン大統領と長時間にわたり会談したそのとき、異様に長いテーブルの両端に、プーチンとマクロンが座っていた。海外からの元首は国賓として迎えるのが、プロトコル、すなわち外交儀礼だ。国賓を相手にこのような距離を取った座席配置をすることは、決して尋常なことではない。

マッチョを誇るプーチンは、コロナに感染することを極端に恐れていた。ゆえに、DNA情報の流出を危惧し、ロシア側によるPCR検査を拒否したマクロン大統領とは、発話しても飛沫が絶対に届くことのない長テーブルをはさんでの会談となったのである。

プーチンはコロナの感染を恐れ、２０２０年3月からのほぼ2年間、クレムリンで執務をするのは非常にまれになっていた。モスクワ郊外のノボオガリョボ公邸にこもりがちとなり、側近を含め他人と会うことを極端に減らしていたのだ。

そのあいだ、ひたすら歴史を勉強し、２０２１年7月12日には「ロシア人とウクライナ人の歴史的一体性について」と題する論文を発表した。筆者は、この論文に「侵攻の謎」を解くカギがある、と見ている。

筆者が全幅の信頼を置いている東京大学先端科学技術研究センターの小泉悠専任講師は、2月26日、侵攻直後に行われたプーチン演説の要旨を、次のように解説している。

・ロシアは核保有国の１つだ。われわれを攻撃すれば、不幸な結果になるのは明らかだ。
・問題は「われわれの歴史的な土地」で反ロシア感情が生まれていることだ。
・ロシア系住民１００万人のジェノサイドを止めなければならない。
・ＮＡＴＯ主要国はウクライナの極右勢力とネオナチを支援している。
・私は特別な軍事作戦を行うこととした。目的は、キエフの政権に８年間虐げられてきた市民の保護だ。

最初の「核保有国」うんぬん以外、すべて前述したプーチン論文に記載されている。

プーチンは、心の底からウクライナを自らの支配下に置くこと、すなわち属国化することがロシア大統領の使命だと確信して、侵攻を命じたのではないだろうか。

したがって、自らが「倒れる」まで侵攻を止めることはない、と筆者は判断している。

一方のウクライナも「力による現状変更」を認めないという価値観を共有する欧米諸国の支援を得ており、仮に劣勢となっても、領土をさらにロシアに占領される事態となっても、文字どおり死力を尽くして抵抗を続けるだろう。筆者が「プーチンの戦争」と呼ぶ、ロシアによる今般のウクライナ侵略戦争が長期化すると判断するゆえんである。

ちなみに、これが開戦直後の筆者の見方だった。本書を執筆している２０２２年秋、ウクライナにおける戦闘は依然として続いており、終結のメドはまったく立っていない。

エネルギーの世界で起きる〝地殻変動〟という激変

「プーチンの戦争」は、第2次世界大戦後に世界各国が築き上げてきた国際秩序を破壊するものだ。自らが理事国である安全保障理事会を中核とする国際連合の目的、あるいは国連憲章をも無視したものである。

国際政治音痴の筆者には、今後、どのような国際秩序が形成されるのかはまったく読めない。だが、少なくとも「元に戻らない」ことは確実だろう。

元に戻らないことにより、エネルギーの世界にも〝地殻変動〟とも言うべき激変をもたらすのは必至だ。地理的に隣接しているため「相互依存」が平和に寄与すると信じて関係を強化してきたヨーロッパ、なかんずくドイツなどEU（欧州連合）加盟諸国にとって、もはやロシアは「信頼に足るエネルギー供給国」ではなくなったからだ。

そこで、まずはEUの状況から振り返ってみよう。

EUの政策執行機関である欧州委員会は3月8日、遅くとも2030年までにロシア産化石燃料（石油、天然ガス、石炭）への依存脱却を目指した「リパワーEU」と題する政策

図表1-1　G7各国のエネルギー自給率とロシア依存度

国名	自給率	ロシアへの依存度		
		石油	ガス	石炭
日本	11% （石油:0% ガス:3% 石炭0%）	4% （シェア5位）	9% （シェア5位）	11% （シェア4位）
アメリカ	106% （石油:103% ガス:110% 石炭:115%）	1%	0%	0%
カナダ	179% （石油:276% ガス:13% 石炭:232%）	0%	0%	0%
イギリス	75% （石油:101% ガス:53% 石炭:20%）	11% （シェア3位）	5% （シェア4位）	36% （シェア1位）
フランス	55% （石油:1% ガス:0% 石炭:5%）	0%	27% （シェア2位）	29% （シェア5位）
ドイツ	35% （石油:3% ガス:5% 石炭:54%）	34% （シェア1位）	43% （シェア1位）	48% （シェア2位）
イタリア	25% （石油:13% ガス:6% 石炭:0%）	11% （シェア4位）	31% （シェア1位）	56% （シェア1位）

出典：資源エネルギー庁「電力・ガスの原燃料を取り巻く動向について」　（2020年）

概要を発表した。ロシアによるウクライナ侵攻を受け、２０２１年輸入実績で天然ガス45％、原油22％、無煙炭48％をロシアに依存している状況との決別を宣言したのだ。

無論、経済社会への悪影響を最小限に抑えつつ実行するのは容易なことではない。だが「ともかく、われわれに脅威を与える国に依存することはできない」（ウルズラ・フォン・デア・ライエン欧州委員長）とする強い決意の表れだ。

続いて欧州委員会は5月18日、3月に発表した政策概要を具体化した「リパワーEU」の具体策を織り込んだ政策文書を発表した。

ただし、グリーン政策のリーダーを自負しているEUは、２０２１年7月に「Fit

for 55」という政策を発表しているため、これとの整合性を無視しては何もできない。「Fit for 55」とは、2050年ネットゼロ実現を目指し、2030年までに温暖化ガス排出量を1990年比で少なくとも55％削減するという政策だ。わが国が掲げている、2030年までに46％削減するという目標に対応している。

「リパワーEU」は、この「Fit for 55」を土台としているため、再生可能エネルギーの拡大を図りつつ、「ロシア依存からの脱却」を目指す政策となっている。

そのため短期的には、ロシア産石炭の輸入禁止（2022年8月以降実施）を決めた4月8日の制裁政策第5弾、および石油の輸入禁止を決めた6月8日の制裁政策第6弾（原油は12月5日から、石油製品は2023年2月5日から実施）が、現実的な対応策となっている。

例外免除だらけのロシア産石油の禁輸措置

石油禁輸は、5月4日に提案されてから合意まで、調整作業に1カ月を要する難題だった。実効性のある政策にするためには、歴史的事情があり置かれている事情もそれぞれ大きく異なるEU全加盟国の同意が必要だからだ。とくにロシアからの「ドルージュバ（友好）パイプライン」による原油供給に依存している旧共産圏のEU加盟国にとっては、代替原油供給ルート確保に時間も資金もかかるため、容易には合意できないものだった。

たとえばハンガリーは、共産圏時代に旧ソ連産ウラル原油を精製する前提で製油所を設計・建設しているため、他の原油に代替するには大がかりな設備改造が必要であり、代替ルートのインフラ建設にも時間も資金もかかる、として反対していた。

ＥＵの中核メンバーであるドイツにも、旧東ドイツ側に内陸製油所がある。現在も首都ベルリンへの供給を担うシュベット製油所も、その1つだ。これらの製油所も、ハンガリーなどと同じく「友好パイプライン」を通じたウラル原油の供給に依存しているため、ドイツもまた一律の石油禁輸には最後まで反対していた。

だが、バルト海沿岸のロストック港を浚渫《しゅんせつ》し、受入タンクを増設してパイプラインの送油方向を変える工事を行えば、シュベット製油所への他国原油の海上供給が可能になる。だからドイツは、制裁開始時期を遅らせることで最終的に禁輸に合意したのだ。

まさに提案時にフォン・デア・ライエン欧州委員長が語った、「われわれの仲間のなかには、ロシアの石油に大きく依存している国もある。だが、ともかくやらなければならないのだ」という言葉どおりの政治決断だった。

ただし、前述したようにハンガリーなどが強く反対したため、当分のあいだ友好パイプライン経由の輸入は禁輸対象外とした。さらに、原則禁輸の海上供給分についても、ブルガリアは２０２４年末までロシア原油の輸入が、クロアチアは２０２３年末までＶＧＯ（減圧軽油）と呼ばれる半製品の輸入が禁輸免除となっている。重要案件に関する合意は全会一致が条件となっているため、前述したような「ごね得」が生まれてしまうのだ。

このように「結束維持」を優先したため、例外免除だらけの禁輸措置となった。それでもロシアからの輸入を〝自粛〟する国々もあるため、全体としては90％程度の禁輸措置が実施できるとＥＵは判断している。だが、これには多分に政治的メッセージが含まれている。はたしてＥＵの目論見《もくろみ》どおりとなるのだろうか。

あとで詳しく説明するが「ＩＥＡ」（International Energy Agency＝国際エネルギー機関）は、ロシア産原油の輸出は１３０万ＢＤ（barrels per day＝1日あたりのバレル数。１バレルは約１５９リットル）、同石油製品は１００万ＢＤ、合計２３０万ＢＤ減少するものとみている。

一方、英大手石油会社の「ＢＰ」が毎年発表している「ＢＰ統計集」（Statistical Review of World Energy）２０２２年版によると、２０２１年のロシアからの原油輸出量は2億6３６０万ｔ、石油製品輸出量は1億４０７０万ｔ、合計4億４３０万ｔ。これをバレルに換算すると、原油５２９万ＢＤ、石油製品２７３万ＢＤ、合計８０２万ＢＤとなるので、減少分の２３０万ＢＤは総輸出量の28％強に相当する。

ただし、前述したように、ドイツですら輸入を完全に止めるためには数カ月の対応期間が必要だったため、まず石油の禁輸を２０２２年12月5日から実施する予定だ。

フォン・デア・ライエン欧州委員長は次のように述べた。「ウクライナを支援するために、われわれの経済が強靭である必要がある」と。この考えは「持たざる国」日本にとって、決して忘れてはならない重要事項だろう。わが国の経済が十分に強靭《きょうじん》でなければ、ウクライナへの支援をはじめとする国際協力など満足にできないからだ。

ロシアの「政治の武器」となったガス供給

とにもかくにも、こうして石炭と石油の禁輸制裁がＥＵで合意された。

残るは天然ガスだが、これは容易ではない問題だ。常温常圧で液体である石油と異なり気体である天然ガスは、効率的に輸送・貯蔵するために特殊なインフラが必要で、サプライチェーンが石油とはまったく異なっているからだ。

ＥＵとしては先述の「リパワーＥＵ」政策文書で、２０２７年までに脱ロシア依存を実現する方針を打ち出している。これは、その前に発表した「リパワーＥＵ」概要で、「２０３０年まで」としていた脱ロシア依存実現を3年早めたものだ。

だが、次の冬に備えて在庫積み上げを図っている２０２２年夏、ロシアがガス供給を

図表1-2　一瞬の暴落後、持ち直したルーブル

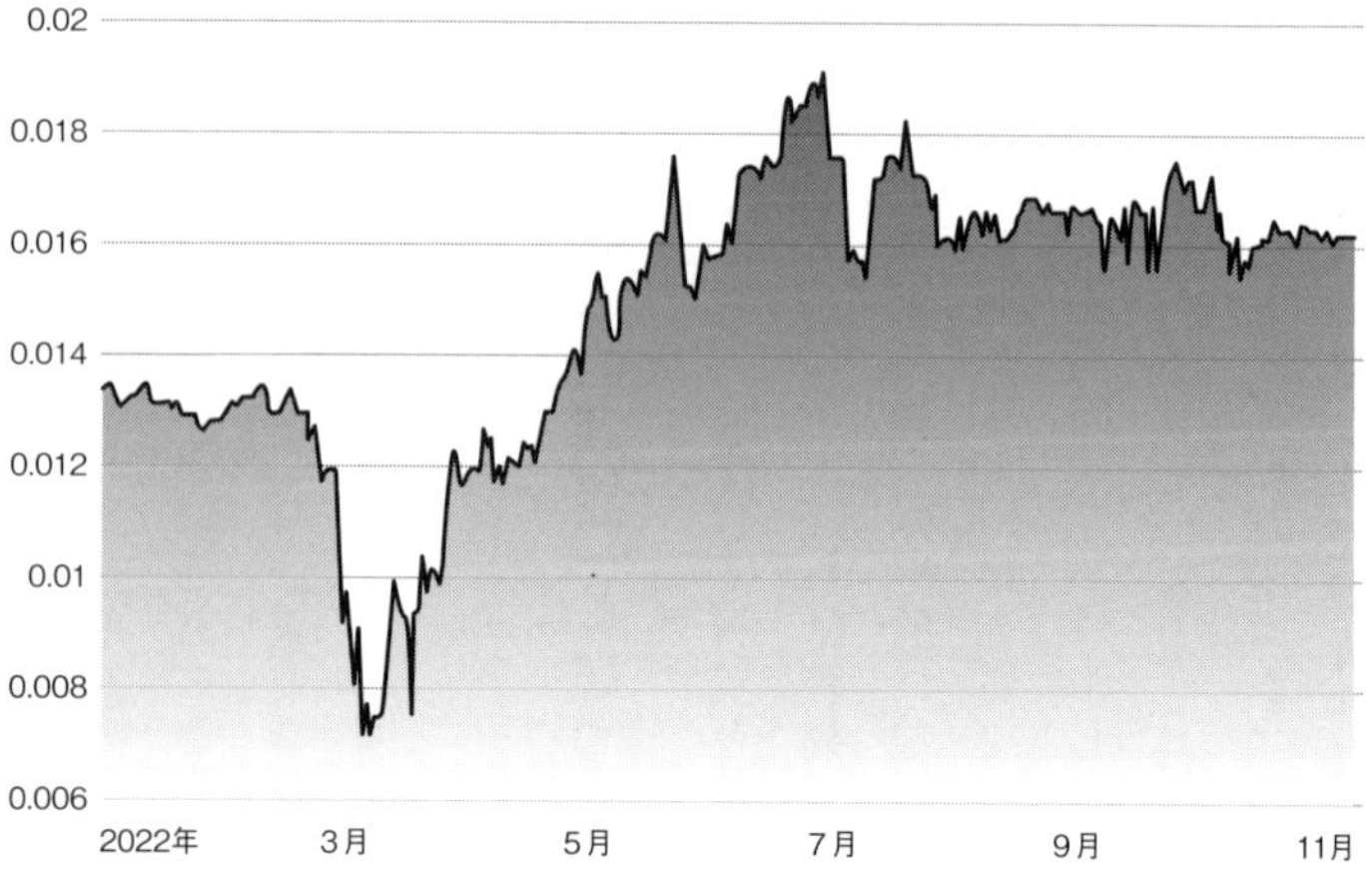

出典：Google Finance（2022年11月9日）

「政治の武器」として利用し、攻勢をかけてきている。

春からの動きを振り返ってみよう。

侵攻開始後、西側諸国が中央銀行をはじめとするロシアの主要金融機関に経済制裁を科したため、通貨ルーブルが急落した。2022年3月末、ルーブル価値の維持を目指しプーチン大統領は、天然ガス輸出代金をルーブルで支払うことを要求。これを「契約条件の一方的変更だ」として拒否した顧客に対し、ロシア国営ガス会社「ガスプロム」は供給を止めてしまった。

その対象は、ポーランドやブルガリア、あるいはフィンランドやオランダのガス会社、英「シェル」のドイツ法人などである。

だが、ロシア依存度が低いため代替供給が

可能で、大きな問題にはなっていない。

一方、ドイツやイタリアの大口顧客は、ロシアの官僚が考え出した、買主はユーロで払うが、売主はルーブルで入金するという、双方の要求を満たす妙案を受け入れたため、ガス供給は継続されていた。

だがEU当局は、ユーロからルーブルへの交換にロシア中央銀行が関与するため、このメカニズムは制裁違反だと主張した。すると、ロシア側は中央銀行の代わりに、制裁対象ではない私企業の為替ブローカーが関与する仕組みに変更したのだ。この変更に関しては、大口需要家のニーズもあり当局も黙認。現在もガス代金決済に適用されている。これで当分ガス供給は継続される、と思われた。

ガス代金のルーブル支払いだけが要因ではないが、ルーブルの価値は侵攻開始前水準に戻り、その後は改善した状態で推移している。したがって、心配された原油や石油製品の代金をルーブル払いに変更せよとの要求はなされていない。

だがロシアは、さらにガス供給を政治の「武器」として使用すべく、新たな口実を見つけてきた。これが、プーチンが仕掛けた「エネルギー戦争」と筆者が呼んでいる、もうひとつの戦いの始まりである。

この「エネルギー戦争」の戦線はいくつもあるが、最も重要なのは、供給量が最大のロシアからドイツへの「ノルドストリーム1」パイプラインである。

冷戦時代からつながっていた独ロ間のパイプライン

「ノルドストリーム1」は、ロシアのサンクトペテルブルク近くのヴィボルブからバルト海を通って、ドイツのベルリンの真北にあるグライスヴァルトまでを結ぶ。さらに支線パイプラインで、オランダやチェコにもつながっている。送ガス能力は年間550億㎥（LNG＝液化天然ガス換算約4000万t）で、2021年にヨーロッパが輸入したロシア産パイプラインガス1670億㎥（同約1億2300万t）の、およそ3分の1を占めている。

ちなみに、日本の年間ガス消費量（＝輸入量）はLNG約7600万tである。

ロシアからドイツへのガス・パイプラインは、1969年、西ドイツ（当時）の社会民主党ブラント政権が「東方外交」を掲げて交渉を開始し、翌1970年2月、ソ連（ソビエト社会主義共和国連邦、1991年解体）と「補償協定」を締結したときに始まる。西ドイツが大口鋼管とガスタービンを提供し、見返りとしてソ連が20年間で1200億㎥（LNG年間440万t相当）の天然ガスを供給するという契約であった。

これがウクライナ経由のパイプラインであり、オイルショック発生直前の1973年9

図表1-3　ロシアとヨーロッパをつなぐガスパイプライン

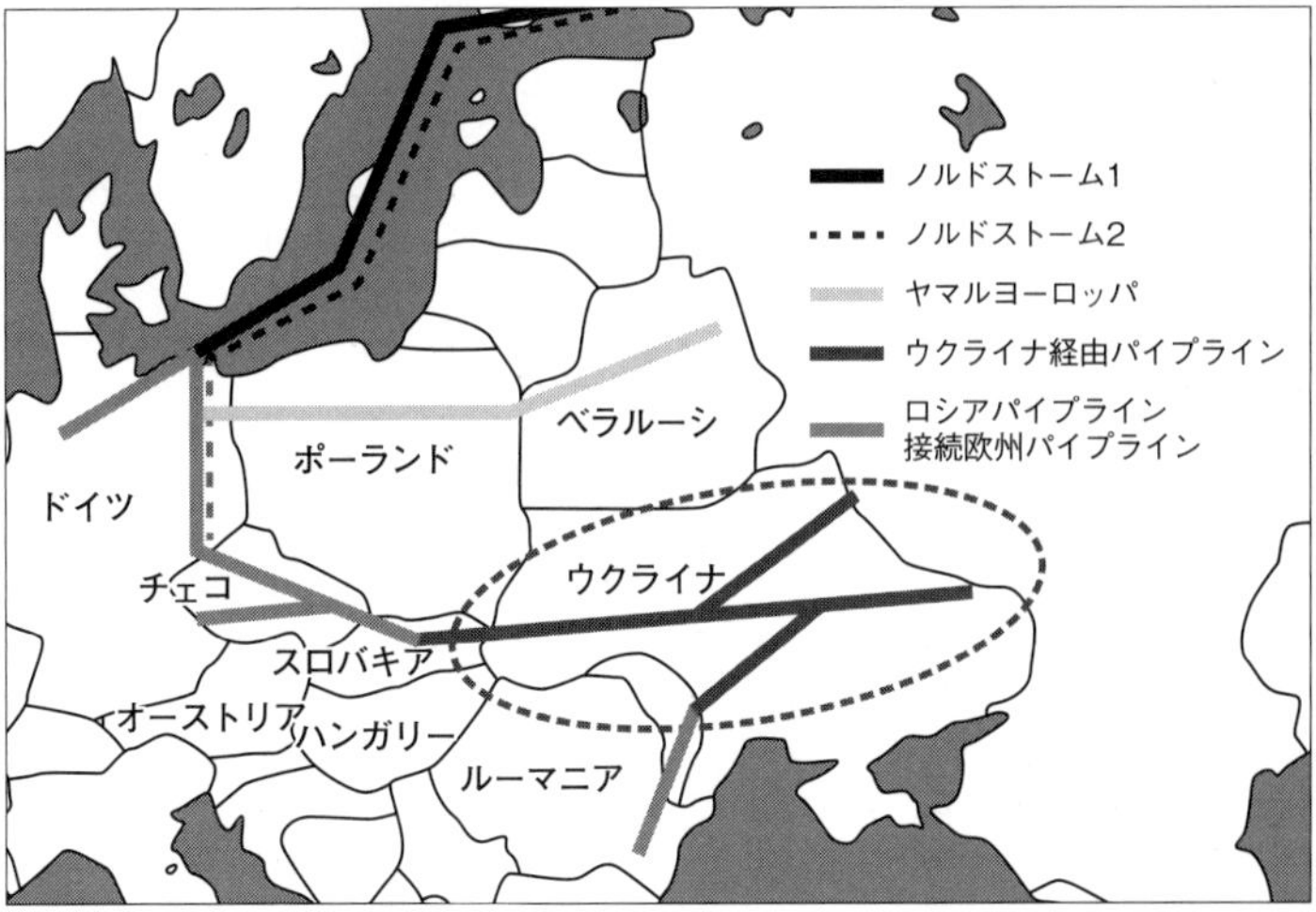

出典：JOGMEC NEWS Vol.66

月から送ガスが始まっている。その後、幹線パイプラインのみならず支線パイプラインも増強され、ロシア産ガスはヨーロッパ全般に供給されるようになった。

同パイプライン経由の送ガスは、冷戦下でも問題は起こらず、２００５年まで順調に行われていた。ところが、２００４年に起きた民主化革命、いわゆる「オレンジ革命」によるウクライナの〝EU傾斜〟が明らかになるなどの政治的背景もあり、ロシアとウクライナのあいだで契約上の問題が生じた。

その結果、２００６年初め、真冬のさなかにガス供給が停止されるという事件が起こったのだ。ただしロシアは、ウクライナ向けのガス供給だけを止め、そこから先のドイツ向けなどを止めることはなかった。

当時、ロシア産ガスはウクライナ経由のパイプラインを通じてヨーロッパへ約7割、ウクライナへ約3割が供給されていた。だが、ウクライナがヨーロッパ向けのガスを中抜きしたため、ヨーロッパ諸国でガス供給が減少するなどの混乱が発生したのだ。

さらに2009年初め、同じようなトラブルが起こった。ロシアはウクライナが再び中抜きする恐れがあるとして、今度は最初からヨーロッパ向けを含めた全量のガス供給を止めてしまう。2006年の供給停止時は部分的に3日間減少しただけだったが、2009年の〝事件〟に際して、2週間近く完全にガス供給が止まってしまったのだ。

ちなみに現在は、ロシアとウクライナのあいだには2020年1月から2024年末までのガス〝輸送〟契約があり、遂行されている。2021年以降は最低400億㎥（LNG換算2940万t）が送られることになっている。ただし、ガス〝売買〟契約はない。

ヨーロッパのガス需要は、冬場の暖房用が大きな比重を占めているため、例年、夏のあいだに冬場需要に備えた地下在庫施設（枯渇した油ガス田など）への在庫積み上げを行っている。したがって、短期間であれば乗り切ることも可能だが、ロシア・ウクライナ間のガス供給をめぐる紛争は、ウクライナの脱ロシア、EUへの傾斜という政治問題も絡み、根本的解決が難しい問題と化していく。

ヨーロッパのガス需要は、さらに増加する見込みがあったうえにこれらの事件も起こったので、ドイツとロシアは、バルト海経由の直接パイプライン構想を推し進めた。そして、２０１１年11月に「ノルドストリーム１」が開通したのである。

さらにドイツとロシアは関係強化を目指し、ほぼ並行して走る「ノルドストリーム２」プロジェクトを進めた。だが、アメリカがプロジェクトに関与している西側企業に「制裁」を警告したため、一時は頓挫しそうになる。そこでロシアが、最後の工事を自国の企業に請け負わせたことにより、なんとか２０２１年秋に完工したのだ。

ところがドイツは、アメリカや近隣ポーランドなどＥＵ加盟国からの強い反対に加え、２０２１年春からロシアがウクライナ国境近辺における軍事行動を活発化していることもあり、「ノルドストリーム２」の許認可プロセスを遅延させていた。

そして「プーチンの戦争」が始まった。

「心中」を余儀なくされるヨーロッパ

２０２２年6月に入ってロシアのガスプロムは突如、年５５０億㎥という契約どおりのガス供給はできない、と言い始めた。これはＬＮＧ換算で約４０００万ｔ。２０２１年のロシアからEUへのパイプラインガス供給量の約40％に相当する。

その理由は、独ジーメンス・エナジーのカナダ工場で修理中のパイプライン用タービンを、カナダ政府が制裁対象だとして送り返してくれない、というもの。そして「不可抗力」を理由に、当初は40％、続いて60％の供給削減を実行したのだ。さらに7月中旬には、定期修理を理由に2週間ほど全面的に送ガスを停止した。定期修理終了後もタービン1台の補修が必要だとして送ガス量を80％削減し、20％しか供給しなかったのである。

8月末になると、ガスプロムは8月31日から9月2日まで臨時の補修工事が必要なので全面的に送ガスを停止する、と通知した。修理期間終了後、はたして送ガスを再開するのか、あるいは、また別の口実を見つけて停止したままにするのか、ドイツをはじめとするEU諸国は疑心暗鬼になった。その後、送ガスを停止したまま、10月初旬、謎の「ノルドストリーム1」の爆発事故が発生。当分のあいだ再開不能と見られている。

送ガス停止のリスクが高まったことから、ヨーロッパのガススポット価格指標であるオランダTTF（Title Transfer Facility）におけるガス価は、8月22日からの1週間で40％上昇し、26日の終値はMMBtu（百万イギリス熱量単位）あたり99・74ドルを記録した。原油換算すると、バレルあたり160ドル上昇し、598ドルになったことになる。

国際的指標原油である北海のブレント原油も、アメリカの指標原油WTI（West Texas

図表1-4　乱高下するヨーロッパの天然ガス価格

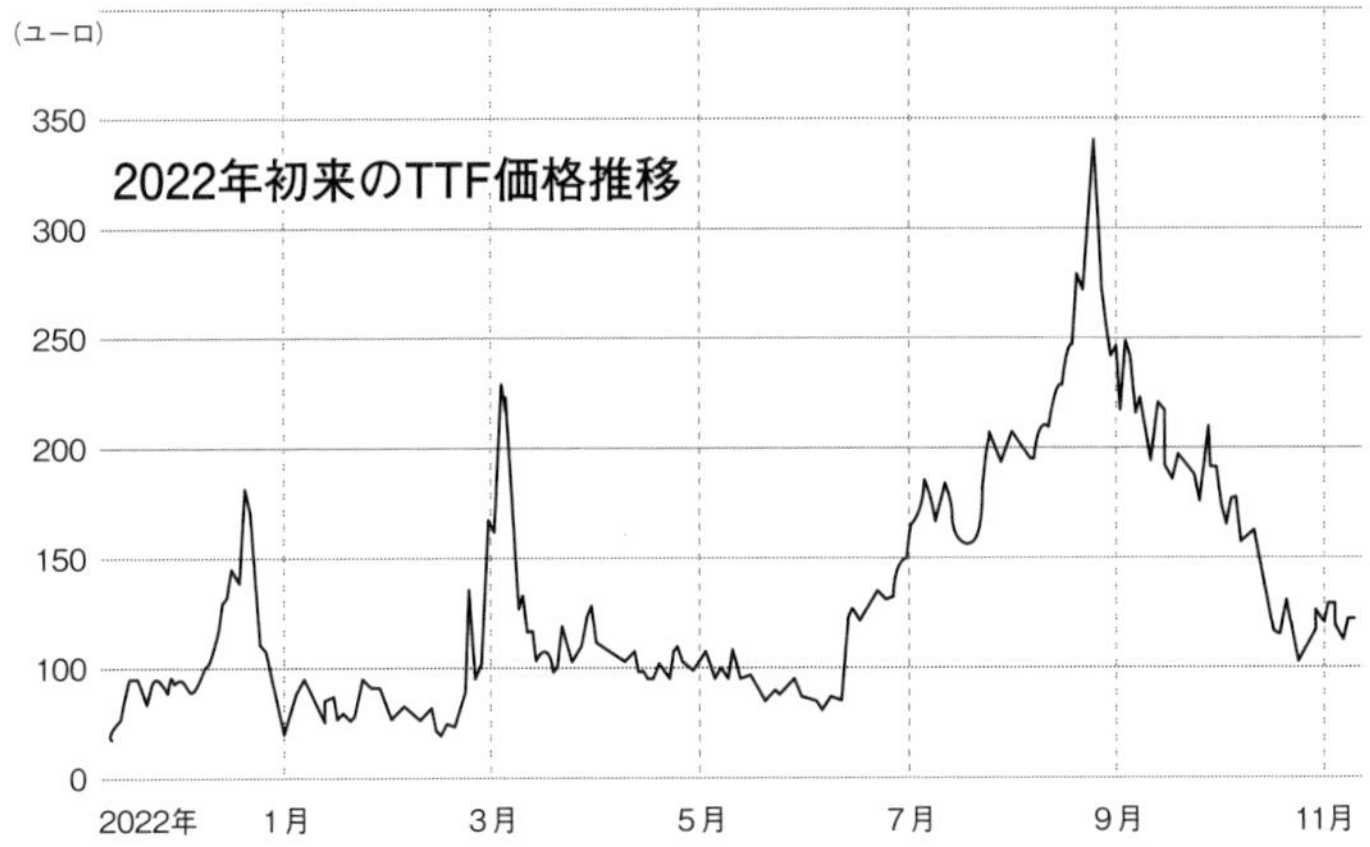

出典：Trading Economics（2022年11月9日）

Intermediate＝ウェスト・テキサス・インターミディエイト）も、ともにバレルあたり100ドル程度なので、ヨーロッパガスはなんとそれより6倍も高いのだ。

なお、原油の価格は「バレルあたり米ドル」表示が一般的であるように、天然ガスの価格については「MMBtuあたり米ドル」で表示している。原油と天然ガスを熱量等価で対比させるには、簡略的に「6」という係数を使うと便利だ。たとえば、ガス価格10ドル／MMBtuは、原油価格60BDに相当するとご記憶いただきたい。

送ガス停止の翌週になると、EUのガス在庫積み増しが順調に進んでいるとの認識からガス価格は急落しているが、ウクライナ侵攻前と比べるとまだまだ高い水準だ。

ロシアのガスプロムが、純粋に経済主体として契約義務を果たす気があれば、「ノルドストリーム1」で送ガスできない場合、たとえばポーランド、あるいはウクライナ経由のパイプラインを利用すれば補塡供給が可能である。だが、そうはしていない。明らかに、ガスを「政治的な武器」として使用しているからである。

では、なぜガスプロム、すなわちロシアはガスを武器として使用できるのであろうか。それは、ガスが気体であるがゆえに長距離大型パイプラインか、あるいはマイナス162℃以下に冷却して体積を600分の1に圧縮したLNG（液化天然ガス）にして輸送する必要があるからである。

ここで問題になっている長距離パイプライン輸送の場合、入り口でなければガスを送りこめず、出口でなければガスを引き取ることができない。さらに当然、ガス田から入り口までのパイプラインも、出口から消費工場・発電所までのパイプラインも必要になる。これらのインフラは、短期間に用意できるものではない。高額の費用もかかる。

名著“The Bridge: Natural Gas in a Redivided Europe”(Harvard University Press, 2020)の著者で、ジョージタウン大学のセーン・グスタフソン教授は、パイプラインとは生産者と消費者を「親密なつながり」(intimate tie) で結びつけるものだ、と指摘している。

つまり、長距離パイプラインガスの売主と買主とは、いわば〝運命共同体〟なのである。

もちろん、ＬＮＧも同様だ。その運命共同体の相方が「悪意」をもって対応してきたら、一体何が起こるだろうか。

簡単に言えば「心中」を余儀なくされるのだ。

いま起こっていることを文学的に表現するならば、「言うことを聞かなければ心中だぞ」とロシアがヨーロッパを脅している、ということなのである。

開戦後も潤い続けるロシアの〝懐〟

２０２２年６月13日、フィンランドの独立系調査機関「エネルギー・クリーンエアー研究センター」は、ロシアは侵略開始後の１００日間で、同期間の戦費を超える９７０億ドルの輸出収入を得ている、とする報告書を発表した。９７０億ドルのうち、ＥＵ向け輸出販売からの収入は５９０億ドルとなっている。

だが、「将来の需給バランス」を読みながら取引を行っている石油市場では、すでに禁輸による供給減を織り込んだ価格で取引されている。いわゆる地政学リスクがプレミアムとして上乗せされているのだ。つまりロシアから見ると、地政学リスクによる価格上昇が輸出量減少を上回っており、結果として輸出収入金額は増加している、というわけだ。

図表1-5　ロシアの石油輸出収入の推移と予測

	2021年	2022年	2023年
原油生産	1051万BD	1033万BD	1120万BD
輸出	466万BD	490万7000BD	526万4000BD
価格	65ドル	92ドル	88ドル
収入	1100億ドル	1650億ドル	1270億ドル
製品精製	561万9000BD	522万5000BD	480万BD
輸出	294万5000BD	271万6000BD	249万6000BD
価格	65ドル	97ドル	88ドル
収入	700億ドル	950億ドル	800億ドル
輸出合計	760万5000BD	762万3000BD	776万BD
収入	1800億ドル	2600億ドル	2070億ドル

注1　価格はバレルあたり
注2　合計数値は筆者が追記
注3　原油にはコンデンセート（採掘時の副産物＝NGL、詳細はP104～107参照）を含む
出典：Energy Intelligence 2022年6月24日

ロシアの戦争遂行のための〝懐〟は、まだEUの石油禁輸が正式に始まっていないこともあり、西側の目論見《もくろみ》に反し、2022年夏時点では十分に潤っていたのである。

たとえば業界紙『Energy Intelligence』は2022年6月24日、同年のロシアの石油輸出収入は、前年比800億ドル増の2600億ドルとなるも、2023年には530億ドル減少して2070億ドルになるだろうとの予測記事を掲載した。

この予測については、評価が分かれるところだろう。筆者は、生産・輸出数量はこれより少ないが、価格はこれより高い。結果として輸出収入は、開戦前より大きく減ることはないのではないか、とみている。

2022年12月5日から原油禁輸が実行

される予定だ。年末に向け輸出量は減少し年明け以降、さらに大きく減少するのは間違いない。だがロシアも、禁輸開始までの「猶予期間」に新たな輸出市場の確保に全力を尽くすだろう。問題は、果たしてどれだけの代替市場を確保できるのか、だ。

爆買いするインドと、おとなしさを装う中国

ロシアから輸出されている原油は、次のように大分類できる。

①数多くの油田からの原油をブレンドしてウラル・ブレンド原油（ウラル原油）としてバルト海、黒海からタンカーで、さらに「友好パイプライン」などで輸出しているもの

②ＥＳＰＯ（East Siberia Pacific Ocean）パイプラインを経由して中国へ、また日本海に面したナホトカ近郊のコジミノ港からタンカー輸出しているＥＳＰＯブレンド原油（ＥＳＰＯ原油）

③サハリン１からのソコ原油、サハリン２からのサハリン・ブレンド原油（ともにタンカー輸出）

さらに、「ＪＯＧＭＥＣ」（エネルギー・金属鉱物資源機構）のロシア専門家、原田大輔氏がまとめたロシア原油の２０２１年輸出実績を筆者なりに整理したのが図表1-6だ。これを基に将来動向を考えてみよう。

まず表の①と②は、タンカーで日中韓などのアジア向けに輸出されたものである。

ちなみに、日本の大手石油会社（ＥＮＥＯＳ、出光興産）は、２０２２年5月にロシア産原油の引き取りを停止している。

また、サハリン1の原油生産は、オペレーター（操業責任者）である米エクソンモービル（エクソン）が事業からの撤退を表明しており、２０２２年夏現在、近隣の工場や住宅などの燃料として供給する随伴ガスを生産するのに必要な1万ＢＤ程度に落ち込んでいる。つまり、20万ＢＤ以上の減産を余儀なくされているのだ。ちなみに随伴ガスとは、原油生産にともなって採取される、油層内に溶け込んだガスのことである。

③と④は、パイプライン能力に限界があるので、増加できるとしても微増でしかない。だが、ロシアは輸出収入確保のため、微増であってもパイプラインでのアジア向け販売を増やしていくだろう。

⑥、⑦、⑧は、ＥＵが12月5日に禁輸を開始する予定のタンカーによる輸出で、⑩、⑪は当面、禁輸対象外とされているパイプライン輸出だ。だが、パイプラインでもドイツや

図表1-6　ロシアの主要原油輸出ルート

アジア向け

①	サハリン1、2	39万6000BD
②	ESPO コジミノ	86万BD
③	ESPO 中国	73万5000BD
④	カザフ経由中国	24万1000BD
⑤	アジア向け小計	223万2000BD

ヨーロッパ向け

⑥	北極海	39万7000BD
⑦	バルト海	139万5000BD
⑧	黒海	46万5000BD
⑨	（タンカー小計）	223万9000BD
⑩	友好PL	58万5000BD
⑪	その他PL	25万8000BD
⑫	（PL小計）	82万3000BD
⑬	ヨーロッパ向け小計	310万2000BD

⑭	総計	533万4000BD

ポーランドのように輸入を自粛する国もあるため、EU全体の輸入量は90％減少するとしていることは前に説明したとおりだ。これらから、代替市場を必要とするのは年末段階で約２８０万ＢＤ（３１０万２０００ＢＤの90％）とみるのが妥当だろう。

後述するが、原油輸入量世界最大の中国（１０５６万ＢＤ）と、３位のインド（４２９万ＢＤ）がその気になれば、半分の１００万ＢＤ以上は何とかなる数量ではないだろうか（数値は「ＢＰ統計集２０２２」に基づく２０２１年実績）。

12月５日に正式な原油の禁輸を開始する予定なので、どれだけの代替市場が必要なのか、読みにくい。だが、レピュテーション（評判）・リスクや金融制裁への抵触などの恐れから、多くの大手トレーダーやヨーロッパ系石油会社は取引を自粛している。そのため通常、ブレント原油マイナス数ドルで販売されているウラル原油は、現在20～40ドル割引で販売されている。

この安値にインドが飛びつく一方、中国の国営石油はレピュテーション・リスクを考慮しておとなしくしている。だが、二次制裁のリスクもない、「ティーポット・リファイナリー」と呼ばれる中小の地方製油所が密かに購入しているのだ。

なお二次制裁とは、禁輸制裁に違反した企業のアメリカ国内における経済活動を禁止するものだ。大企業の多くは何らかの形でアメリカで企業活動を行っているため、二次制裁を恐れて禁輸制裁に同調している。

また、ティーポット・リファイナリーとは、中国の三大国有石油である「SINOPEC」（中国石油化工）、「CNPC」（中国石油天然ガス）、「CNOOC」（中国海洋石油）に属さない、主に山東省に位置する民間の製油所のこと。上からお湯を入れて、お茶を濾《こ》し出すだけのティーポットのような、複雑・高価な二次装置などを持たない簡易精製装置を使っているので、この名がついている。

もともとは原油の輸入権がなく、原油を精製して最後に残る重質の残渣油《ざんさゆ》を購入して簡易精製していた。最近では、条件つきで少量の輸入権を与えられている企業も増えており、

図表1-7　各国のロシア産原油の輸入量比較

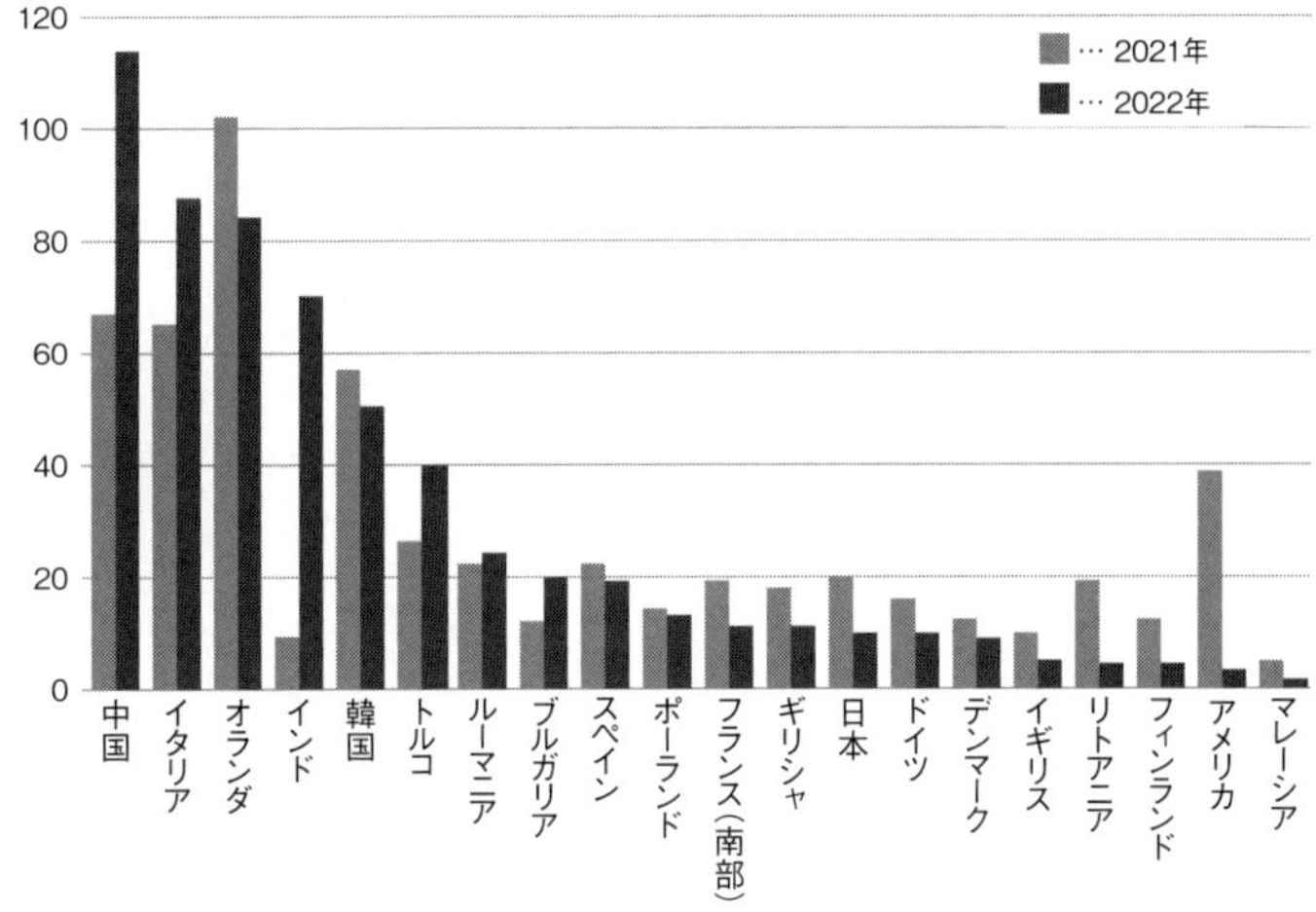

出典：Nikkei Asia（2022年6月9日）

原油市場にも顔を出すようになっている。ただし、事業が製油所周辺、および近隣アジア諸国への製品輸出だけなので、欧米での評判や二次制裁を気にする必要がない。

　ヨーロッパタンカー出荷分については、ロシア系石油会社保有の製油所もあり、禁輸前の駆け込み需要や、ＥＵ加盟国ではないトルコなどが引き取りを増やしている。

　一方、②のコジミノ港出荷分は、日本が引き取りを控えているため中国やインドが引き取りを増やしている。さらにパイプラインによる中国向け出荷量は、おそらく安全性を考慮した設計上の余裕をも含めた能力いっぱいまで微増しているのではないだろうか。

　図表1-7からもわかるように、「安価な

ロシア産原油を購入することは国益」だと財務相が正当化したインドの購入量増加は顕著だ。一方、大手国際石油が撤退して権益資産が売りに出されても、「慌てて飛びつくな」とブレーキをかけているとも伝わる中国勢は、当初はロシア産原油の購入に慎重だった。

前述したように中国は、ヨーロッパからの海上出荷のウラル原油に国有石油は手を出さず、ティーポット・リファイナリーが大幅割引されたウラル原油を買いだしていた。その後、日本海に面したコジミノ港出荷のＥＳＰＯ原油や、ＥＳＰＯ、およびカザフスタン経由のパイプライン供給分で購入量を増やしている結果が、図表1-7の数値だろう。

また、こちらも前述したように、石油輸入量が世界1位で消費量が2位の中国と、双方とも世界3位のインドがその気になれば、ロシアのヨーロッパ向け海上出荷分は相当程度カバーできるだろう。

ただし、両国ともほぼ全量、ロシア手配のタンカーで揚地《あげち》渡し条件で購入しており、ロシアが十分なタンカーを手配できるかどうかも制約となるだろう。

これらを総合的に勘案すると、ＥＵの原油禁輸は２０２２年12月5日に始まる予定だが、代替市場確保が困難な分とサハリン1の落ち込み分とを合わせ、ロシアの原油生産は１００万～百数十万ＢＤの減産を余儀なくされるだろう。これにより、プーチンロシアの「戦争継続能力」には、間違いなくダメージが与えられるはずだ。

日本が忘れてはならない「北樺太石油の教訓」

これまで「プーチンの戦争」によって、ＥＵ諸国がロシア産化石燃料からの脱却を決意し、制裁を加えながら対応していることから、ロシアの石油、天然ガス輸出がどのように様相を変えてきたかを概観してきた。

ＥＵの対応は、ひと言で言えば「ロシアは信頼に足るパートナーではない」との前提で「エネルギー脱ロシア依存」を実現する、ということである。

日本への影響については、エネルギー輸入の観点と、サハリン１およびサハリン２事業の権益の両面から考える必要があるだろう。

ロシアからの原油輸入はすでに停止しているので、今後も大きな変化はないと思われる。

一方、ＬＮＧは現在のところ長期契約に基づき輸入を継続している。しかし、ロシア政府が超法規的に権益を保持している運営企業を、これまでのバミューダ法人「サハリンエナジー」からロシア法人「サハリンスカヤ・エネルギヤ」に移管してしまった。

従来からの長期契約は新法人が引き継いでいるが、実質的なオペレーター（操業責任者）だった英大手石油会社シェルは、新法人には参画しないとし、同社からの出向者はすでに引き上げている。したがって操業のノウハウおよび部品供給の問題もあり、ＬＮＧ生産が困難になってくることは間違いないだろう。

わが国としては、遅かれ早かれ、サハリン2からのLNG供給は途絶するものと覚悟して対応していく必要があると考える。ただし、権益については、どのような展開となるかは読めないが、あくまでも実利を求めて交渉を継続すべきであろう。

サハリン1は、経済産業省、伊藤忠商事、丸紅、石油資源開発、INPEXなどが株主となっている「サハリン石油ガス開発」が30%の権益を保持している。パートナーは米大手石油会社のエクソン（30%）、インドの石油天然ガス公社（20%）、ロシア国営石油のロスネフチ（20%）で、権益保持者間の操業協定に基づきエクソンにより操業されていた。

一方、サハリン2は三井物産（12・5%）と三菱商事（10%）が株主となっている「サハリンエナジー」が操業責任者であった。同社にはシェル（27・5%マイナス1株、実質操業責任者）とガスプロム（50%プラス1株）が株主として参画している。


それにつけても、ロシアというのは異質の国である。私たちの理解を超えた行動をする国といえよう。筆者は、「はじめに」で紹介した「参議院資源エネルギーに関する調査会」において、「北樺太《きたからふと》石油の教訓」として次のように申し上げた。

「ロシアは、われわれとは違うルールでゲームをしている。そのことを念頭に交渉をすることが大切だ」

具体例を挙げて補足説明しよう。

日本企業が海外で初めて原油生産に成功したのは1960年、「アラビア太郎」と称された山下太郎率いる「アラビア石油」だと喧伝されている。だが実は、「アラビア石油」に先駆けること三十数年、1926（大正15）年に「北樺太石油」が、現在サハリンと呼ばれている樺太の地で原油生産を実現していたのだ。

「北樺太石油」の歴史については、拙著『日本軍はなぜ満洲大油田を発見できなかったのか』（文春新書、2016年）を参照していただきたい。かいつまんで言うと、利権契約の交渉から現地での操業時の扱い、そして撤退をするための権益売却交渉と、あらゆる段階でロシアはずる賢く、容赦なく、日本側の足元を見た交渉をしてきたのだ。

そして時代が下って2006年、すでに原油生産を開始しており、プロジェクトの核であるLNG生産に向けて最終段階にあったサハリン2の権益の半分を、環境問題を口実にロシアに薄価《ぼか》で買い取られてしまう。

石油ガス開発というものは、探鉱に失敗すると全損になるハイリスク事業である。ゆえに成功すれば、見返りの大きいハイリターンが期待できる。探鉱から始め、無事石油ガスの賦存《ふぞん》（理論的に資源が存在していること）を確認し、資産としての価値を高めてから売却する場合、簿価の何倍もの価格がつくものなのだ。

ところがロシアは、ハイリスクを負って探鉱、開発を進めてきたシェル、三井物産、三菱商事のハイリターンを、理不尽な言いがかりをつけて、かっさらっていったのである。

このような行動をするロシア人とはどのような人たちなのだろうか？

ある日、筆者はロシア専門家の小泉悠氏に直接聞いたことがある。ロシア留学経験があり、ロシア人の友人知人も多く、何といっても奥様がロシア人だという小泉氏のことだ。本質を突いた答えが得られるであろう、との期待をもって質問した。

すると、小泉氏の回答は次のようなものだった。

「ロシア人というのは、相手はいつも自分をだまそうとしている、と思っている人たちです。だから、それならこちらが先にだましてやろうとする」

プーチンの戦争の帰趨はわからない。ただ、われわれ日本人が、こうした人たちと常に資源、エネルギーについてやり合っていかなければいけない状況は変わらないはずだ。

将来動向をより正しく読み解くためには、本章で説明したことを含め、石油や天然ガスに対する基本事項の理解が大切なのである。次章以降、さらに詳しくその実態を見ていくことにしよう。

第2章

「環境先進国」ヨーロッパの理想と限界

「クリスマスにターキーが食べられなくなる！」

ロシアがウクライナに全面侵攻したことにより、世界は一変してしまった。エネルギーも同じだ。

ただし、このような天と地がひっくり返るような大変動が起こったため、人々は2021年秋、イギリスを含むヨーロッパを「ガス危機」「エネルギー危機」が襲ったことを、すっかり忘れてしまっているのではないか。実はそこには、いつ訪れるかはわからないが、たとえ「プーチンの戦争」が終わったあとでも、なお学び取る価値がある苦い教訓がひそんでいるのだ。

2021年9月18日、英経済紙『フィナンシャル・タイムズ』（『FT』）に1本の記事が掲載された。タイトルは「イギリスのエネルギー会社、天然ガス危機をめぐって政府と緊急会議へ」。

記事には、このままでは「クリスマスにターキー（七面鳥）が食べられなくなる！」と食品加工会社の社長が政府に早急の対策を要請している、とあった。

筆者は知らなかったが、いまや地球温暖化の悪玉となったCO_2（二酸化炭素）だが、実は私たちの日常生活のさまざまな局面において欠かせない役割を果たしているという。

その１つが食肉加工のプロセスで、屠殺前に鶏を失神させるために使われていること。そもそもイギリスのCO_2需要の60％は、アメリカの大手肥料製造企業の在英工場が、天然ガスを原料としてアンモニア製造をする際に産出される副産物で賄われているという。ところが折からのガス価の高騰により採算が取れず、同社は工場閉鎖を余儀なくされそうだ、というのが記事の眼目である。

イギリスの一般庶民にとって、ターキーのないクリスマスなんて、まるでお節料理のないお正月のようなものだろう。

当時、イギリスでは軌を一《いつ》にしてガソリン不足が起こっていた。

原因は石油不足ではなく、ガソリンを運ぶタンクローリーの運転手不足だった。政府は軍を出動させ、運転手教育や実際のガソリン輸送に兵員を従事させるありさまだった。

これは「ブレグジット」（イギリスのEU離脱）により、EUの「シェンゲン協定」に基づきイギリスで仕事をしていた多くのヨーロッパ人が離英したことや、コロナ禍からの復興による景気回復がもたらした労働力不足など、サプライチェーンに発生した障害の一端ともいえるだろう。

ちなみに、EU加盟国のパスポート所有者は基本的に域内を自由に移動でき、就労できるとするシェンゲン協定は1995年に発効した。その後、2020年、EUから離脱したことによりイギリスには同協定が及ばなくなったため、多くのヨーロッパ大陸の労働者が離英を余儀なくされたのだ。

また、ガス代、電気代の高騰に直面していたイギリス人は、通常ならガソリンが自動車メーターの20%くらいに減ってから給油していたのに、買えるときに買っておこうとガソリンスタンドに列をなしたことも問題を深刻化させた一因である。

いわば、イギリスを走る自動車のタンク容量の80%という膨大な仮需要が発生したとも言えよう。

このようなイギリスの混乱状態を報じる記事を見て筆者は、三井物産石油部入社3年目の1973年秋、第4次中東戦争に端を発した第1次オイルショックが起こったときのことを思い出していた。

筆者が三井物産に入社し、石油部需給課で社会人生活を始めたころ、三菱商事との差はエネルギー部門にある、と言われていた。だから、君たちがガンバレ、と。

エネルギー部門で三菱商事に大きく後れを取っていた三井物産は、米モービル石油（現エクソンモービル＝エクソン）と合弁で極東石油を1963年に設立し、1968年から操業を開始していた。50：50の合弁企業なので、精製能力の半分相当の原油を持ち込み、それから生産された石油製品を引き取って販売していた。だが、後発ゆえに販売にはいつも苦労していた。

ところがオイルショックが発生すると、三井物産にもこんなにも潜在的顧客がいたのか、と思わせる事態が起こったのだ。

たとえば、ある日、

「何とかならないか！ このままでは何十万羽のニワトリが凍死してしまう‼」

と、食品部の某課長が筆者のボス、K課長のところへやってきて懇願していたことがあった。どうやら、両者は同期入社の友人らしい。某課長は鶏卵子会社の経営責任を負っているため、ニワトリ小屋の暖房用灯油の手当てに苦慮して飛び込んできたようだ。

あるいは、電話で石油を懇願してきた食品部の別の課長もいた。

「南アフリカのケープタウン沖合で、顧客の漁船が燃料不足に見舞われている。地場でバンカーオイル（船舶用燃料油）の手当てはできないか？」

彼はK課長の元野球部仲間らしい。

「いくらでも払うと言っているが！」

新米の筆者は何もできず、K課長が丁寧に説明し、販売子会社の「三井物産石油販売」

や部内船用課《はくようか》の関係者を紹介するなどの采配を眺めているだけだった。

もちろん、三井物産だけではない。安価で安定供給される原油のおかげで戦後復興を成し遂げた日本全体が、初めて見舞われたオイルショックに翻弄されていた。ビジネスマンは石油確保に奔走し、奥様方はトイレットペーパーの買い出しに走っていた。

イギリスでも、あのような混乱が起こったのだろうか。

戦争前からガス危機に陥っていたヨーロッパの誤算

危機の萌芽は2021年の初めから垣間見えていた。

前年の2020年4月、ニューヨークの原油先物取引市場である「NYMEX」(New York Mercantile Exchange＝ニューヨーク商業取引所)で上場商品WTI原油が史上初めて、マイナス37・46ドルという0ドル以下の終値を記録した。

未曽有の事態に対応すべく、同月「OPECプラス」と呼ばれる産油国グループは970万BD(日産バレル)の協調減産に合意し、5月から実行したため油価は少しずつ回復していた。だが、将来どうなるのか皆目わからず、石油ガス会社は保有している在庫を極端に少なくしていた。

ちなみに、ＯＰＥＣプラスとは、サウジアラビアを中核とする13の産油国からなる石油輸出国機構（ＯＰＥＣ）と、２０１６年12月、ＯＰＥＣとの「協力宣言」に署名し、協調減産に合意したロシアをリーダーとする非ＯＰＥＣ産油国10カ国との枠組みである。

すべては、コロナワクチン頼みの状態だった。コロナ禍からの復興を支えるワクチンの実用化が見えてきたのは、２０２０年も押し迫ってからだった。

さらに問題だったのは、２０２０～21年の冬が終わった段階で、ヨーロッパのガス在庫が大きく減少していたことだ。

後述するが、ガスも石油と同じ「商品」だ、と思い込んでいるＥＵエネルギー政策立案責任者たちの誤謬《ごびゅう》が背景にはあったのだ。

次ページの図表２-１のグラフからわかるように、２０２０～21年の冬は、ガス在庫を大幅に取り崩しての供給を余儀なくされた。だが、それが決して珍しいことではないことは、グラフを見ればわかることだ。問題は、その後にある。

春になって、次の冬に備えて在庫の積み上げが必要になった。だが、ロシア国営ガス会社のガスプロムは、通常は行っている長期契約以外のスポット販売をほとんど行わなかった。また、自らが所有するヨーロッパ内の在庫基地の在庫も、ほとんど積み上げなかった。

図表2-1　ヨーロッパ（EU+イギリス）のガス在庫推移

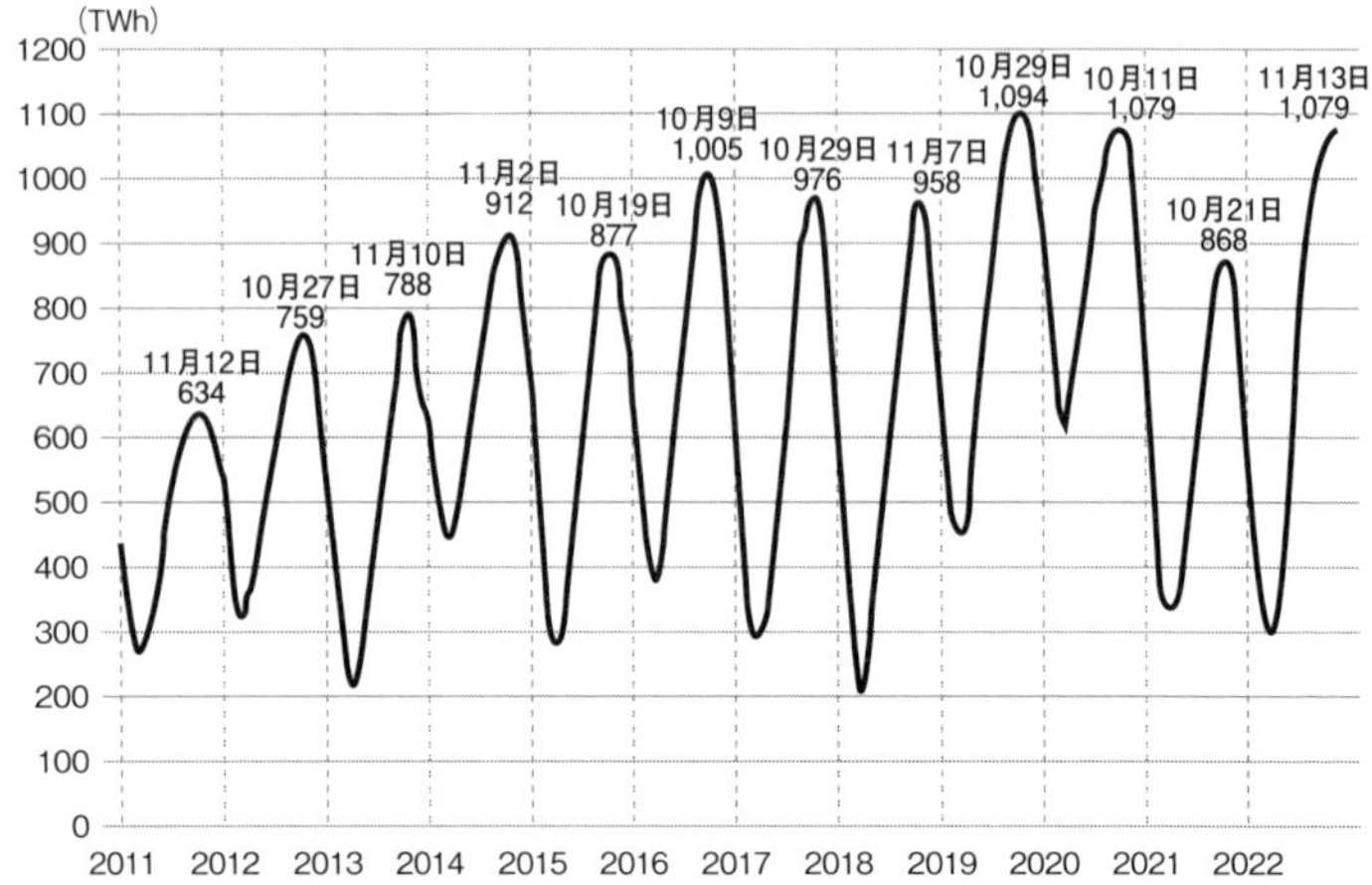

出典：Reuters（2022年11月28日）

すでにそのときから、いままさに行われている「プーチンの戦争」と、それにともなう「エネルギー戦争」を、ロシアは視野の片隅に入れていたのだろう。

一方、そんなことは露知らず、ヨーロッパ勢は在庫積み上げが必要だと思いながらもスポットLNGには手を出さなかった。2020年末から2021年初めにかけて、大寒波に襲われた日中韓3カ国がスポットLNGを買いまくり、市況を引き上げていたからだ。ヨーロッパ勢は、コロナからの復興需要が順調に伸びるか否かに対する疑問もあり、アジア勢と競争してまでLNG手当てに走ることはなかったのである。

その結果、夏場における在庫積み上げが順調にいかなかった。いずれガスプロムが、例年のようにスポット販売をするだろう、と思っていたのだろうか。

２０２１年夏になって、ブラジルが渇水で水力発電が計画どおり機能せず、スポットＬＮＧを買いまくった。ヨーロッパでは風が吹かず、頼みの風力発電の発電量が極端に下がっていたので、ガス火力の高稼働が必要となった。

だが、例年に反し、ガスプロムは相変わらず長期契約以外にはガスを売ってこない。一方、オーストラリアやトリニダード・トバコなど世界各地の既存ＬＮＧ製造プラントで、不測の事故が相次いでいた。

これらすべてが重なってスポットＬＮＧ価格を押し上げ、ヨーロッパにおける指標であるオランダＴＴＦガス価格も押し上げられていったのである。

このように、冬場需要に備えてのガス在庫積み上げも、遅々として進まなかった。『ＦＴ』は２０２１年7月30日、「ガス危機が価格を急騰させている」と題する記事を掲載した。当該記事によると、アジアのスポットＬＮＧは15ドル／ＭＭＢｔｕまで上昇しており、ヨーロッパでも史上最高値の40ユーロ／ＭＷｈ（メガワット時）を記録していた。これは約14ドル／ＭＭＢｔｕに相当する、と『ＦＴ』は報じている。

だが、まだアジア市場よりは割安だ。この時点でヨーロッパ勢は、ガス危機を真剣には恐れていなかったのだろうか。

冬を前にして、ガス代、電気代の高騰は必至だ。ガス在庫も積み上がっていない。このままいったら、どうなってしまうのだろうか。

ヨーロッパは一抹の不安に包まれていた。

イギリスの庶民を直撃する月5万円の電気代

イギリスでは「鉄の女」と称されたマーガレット・サッチャー首相（在任1979～1990年）の時代から民営化、自由化への大きな波が訪れていた。

サッチャーは、アメリカのロナルド・レーガン大統領（同1981～1989年）とともに、市場原理主義的な新自由主義に基づく経済政策を強烈に進めた。この流れは、わが国でも小泉純一郎首相（同2001～2006年）が郵政民営化を実現するなど、大きな影響をもたらしたといえる。

イギリスの電力業界でも民営化・自由化が進行し、1999年には全面自由化が実現。一般家庭においても、誰からでも電気を購入できるようになった。

その結果、市場を独占していた「ビッグ6」と呼ばれた大手電力会社のシェアは、最近では7割程度にまで落ち込んでいる。

自由化が目指すものは、競争を促し、消費者が商品やサービスをより安価に入手できるようにすることだ。イギリスの場合は、日本と比べると圧倒的に多くの顧客が安価な電力料金を求めて、電力会社の乗り換えを行った。

大手電力の小売り部門を含む小売業者は、電力より先に自由化されていたガスや、最近ではインターネットの接続や携帯電話の割引などと抱き合わせた「料金プラン」を提案する安値攻勢をかけ、顧客獲得競争に挑んだ。卸売市場連動型のみならず、顧客のさまざまな生活スタイルに合わせたオーダーメイド型の時間帯別料金メニューまで存在するほどだ。だが、おおもとの電源燃料価格の上昇が起こると、電力料金も上昇せざるを得ない仕組みは自由化以前と変わらない。

また、顧客が頻繁に電力会社を変更することが、リスクヘッジのうまくできていない電力会社の安定経営に悪影響をもたらし、現実に経営破綻に陥る新電力も出てきている。

電力・ガス業界規制当局である「Ofgem」（Office of Gas and Electricity Markets＝ガス・電力市場局）は、市場安定化も目的の一端とし、契約変更をしない一般家庭には「価格キャップ」のついた光熱費の標準料金を設定している。この制度は、自由化方針との齟齬《そご》など、数々の議論を呼んだものの2019年1月以降、庶民の生活を守るために必要だとの政治判断から導入されたものだ。

いまでは、イギリス国民の半分以上が、価格キャップのついた標準料金制度に基づき光熱費を払っているとみられている。

２０２１年夏、在英ジャーナリストの小林恭子氏は、それまで毎月90ポンド（約１万４０００円）程度の請求書だったものが、急に１２０ポンド（約１万９０００円）になったことに驚いた。どこかの小売り会社の、毎月変動する「料金プラン」を選択していた小林氏の請求書も大幅な上昇となったのだ。

さらに、２０２２年２月段階で１３５ポンド（約２万１０００円）へと前年７月料金対比で50％上がったなどという実態を〈10人に１人が「エネルギー貧困」に？・英国の超深刻〉という「東洋経済オンライン」の記事（２０２２年２月12日）にまとめている。

では、価格キャップのついた標準料金で支払っている一般家庭の請求書はどうだったのだろうか。

ガス・電力市場局のホームページや『ニューズウィーク』の報道によると、半年ごとに変更となる前払い方式の標準料金の価格キャップは、２０２１年２月に年１１３８ポンド（約１万５６００円／月：１ポンド＝１６５円換算）だったものが、８月には１２７７ポンド（同１万７５００円）へと12・２％上昇。さらに２０２２年２月には１９７１ポンド（同２万７１

図表2-2　イギリスの電気料金の価格キャップ推移

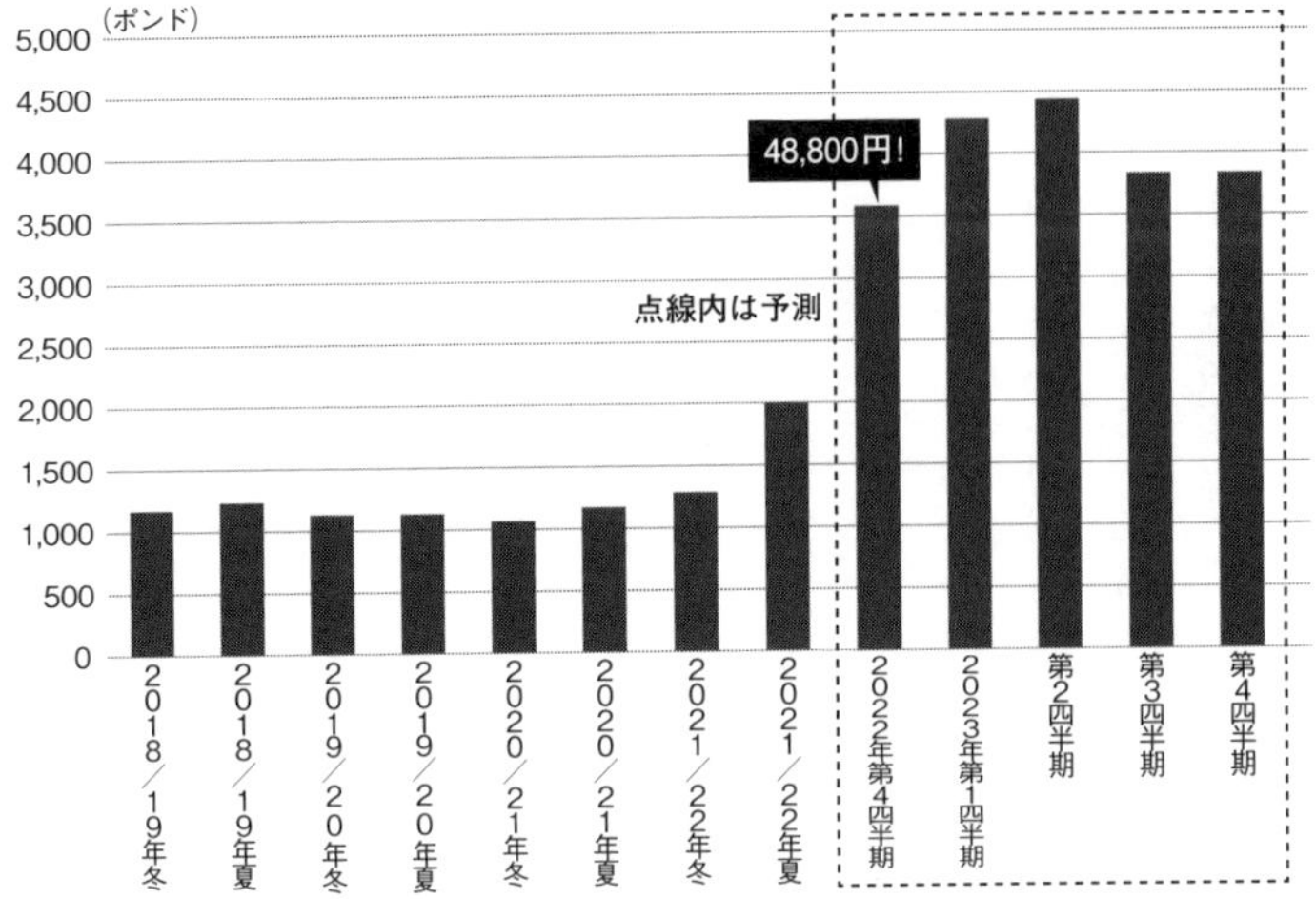

出典：Cornwall Insight

00円）と54・3％アップし、1年間で73・2％もの高騰となっている。

だが、事態の悪化は止まらない。管理当局であるガス・電力市場局は8月26日、年1971ポンドの「価格キャップ」が10月から80％上昇し3549ポンドになる、と発表した。

一般家庭の電気ガス代は、毎月2万5500円程度だったものが10月からは4万8800円に高騰する、ということだ。

このままでは、庶民の生活苦からくる不満が募るのは必至だ。イギリス政府は、膨大な利益を上げている石油ガス会社や再エネ電力会社に「windfall tax」（たなぼた利益税）を課税するなどして財源を確保し、一般庶民の救済策を検討していると報じられていた。

イギリスのエネルギー事情は今後どうなるのか、参考までに、その後の動きを若干記しておこう。

9月5日の保守党党首選でリシ・スナク前財務相を破ったリズ・トラス外相は、9月6日の午後、スコットランド・バルモラル城に滞在中のエリザベス女王を訪れ、第78代首相に任命された。その2日後、エリザベス女王が崩御したため、トラスは女王によって任命された14人目、最後の首相となった。

就任するやトラス首相は、地震を誘発する可能性があるとして中断されていた国内シェールガスの探鉱活動を前進させ、北海の石油ガス田の開発も促進し、2040年までにエネルギーの「自給自足」実現を目指すとの方針を打ち出した。フランスのEDFエナジーが手がけている新設原発プロジェクトも推進するとした。

また、エネルギーコスト高騰に苦しむ国民および産業界を救済するため、家計向けは2年間、企業向けは半年間、光熱費の価格キャップを2500ポンド/年に抑えることを発表した。先述のように、価格キャップは3549ポンド/年になるとみられていただけに、きわめて大胆な救済策である。

天然ガスなどの燃料価格が10月水準の横ばいだとすると、家計向け救済策だけで向こう

2年間で1530億ポンド（25兆円強）の財政負担が必要となるという見方もある。

9月23日に総額450億ポンドの大型減税案を発表したところ、財源を国債発行としたため国債利回りは急騰、英通貨ポンドも株式も売り浴びせられ、10月初旬には一部撤回を余儀なくされている。そのため、エネルギーコスト高救済策の行方も現時点では不確実なものとなっているのではないだろうか。

トラス首相は10月20日、経済混乱の責任を取り辞任を表明した。在任45日目という、イギリス史上最短の在任期間である。待ったなしのエネルギー環境政策の方向性が見えるのは、はたしていつのことになるのだろうか。

蛇足ながらイギリスの場合は、このような財政支出に対して厳しい分析・評価と批判が起こる。一方、日本の場合、ガソリン補助金も、検討されている電力補助金も、財源論が起こらないのはなぜなのだろうか。

筆者にとって、大きな疑問である。

いまだに世界的な「市場」がない天然ガス

ここで、きわめて基本的な事項を確認しておこう。なぜ石油価格と天然ガス価格がまったく別の動きを見せるのか、という問題だ。

石油とガスは、ともに出自が近い化石燃料だ。石油ガス開発は一体となって推進されている。なぜなら、さまざまな探鉱活動から、地下に胚胎《はいたい》していると見込まれるものが石油かガスかは、掘削してみないとわからないからだ。石油だけの場合も、ガスだけの場合もある。もちろん、両方とも埋蔵されていることも多々ある。

だが、両者には大きな物理的違いがある。

常温常圧で、石油が液体であるのに対し、ガスは気体なのだ。

この当たり前すぎる違いから、両者は似て非なるエネルギーだ、と改めて認識する必要がある。なぜなら、供給システムを支えている生産設備、輸送あるいは保管するタンクなど、インフラ構造がまったく異なっているからだ。

ゆえにその昔は、事前の探鉱作業に基づき、地下には石油かガスの炭化水素があると信じて掘削し、結果として石油がなくガスしか見つからなかった場合、掘削技術者は舌打ちして閉坑作業を行ったものだ。ガスだけでは、その輸送、貯蔵のコストなどにより、ガス田の近くに大市場がない限り商業性を確保できなかったのだ。

この話に象徴されるように、石油と違ってガスの場合は「市場化」が容易ではない。

ガスの需要は高まっている。だが現在でも、石油はほぼ世界全体が1つの市場をなして

図表2-3　世界各地のガス価格の推移

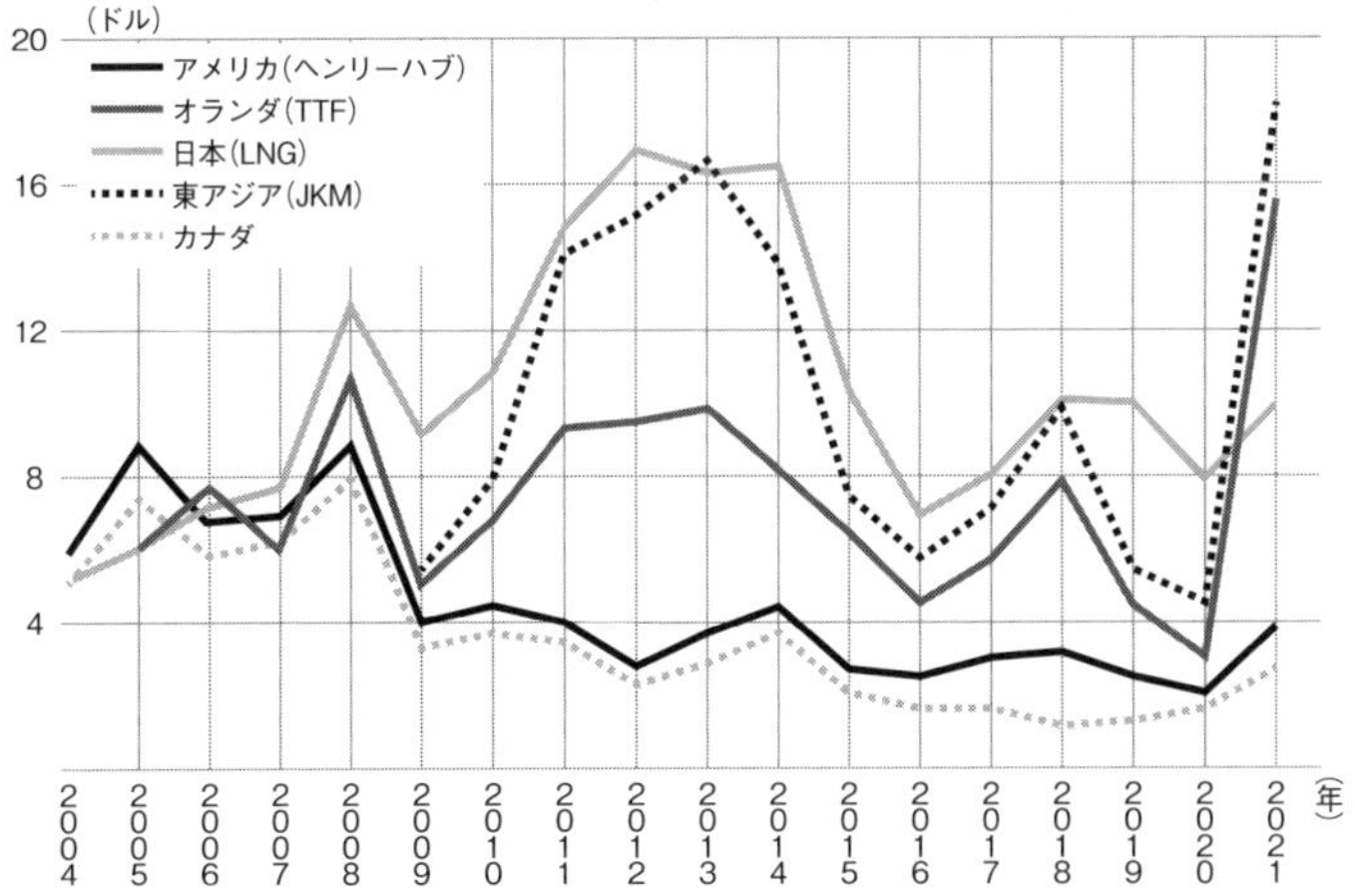

出典：BP統計集2022

いるといえるが、ガスはそうなってはいないのだ。

上の図表２-３をご覧いただきたい。これは２００４年から２０２１年までの世界各地のガス価格の推移を示したものだ。

２０２１年は極端な展開となっているが、おおよそアメリカ、ヨーロッパ、アジアとガス市場が三極分化していることがわかるだろう。価格の動きがバラバラなのだ。

たとえば、日本は２０１１年の東日本大震災で原子力発電が停止され、代替電源燃料としてスポットＬＮＧを大量に購入した。そのため、ＪＫＭ（Japan Korea Marker：東アジアスポットＬＮＧの指標）も日本のＣＩＦ価格（Cost Insurance and Freight＝運賃保険料込み条件）も、ＭＭＢｔｕあたり10ドルを超える水準となった。だが、このとき、ヨーロッパもアメリカもまったく異なる値動きをしていた。

さらに日本が払った10ドル超えという価格は、当時は「超高値」と批判されたが、30～40ドルが当たり前になっている現在から振り返ると、決して高いわけではない。なぜなら原油100ドル時代の10ドル／MMBtuというガス価は、原油換算60ドル／バレル程度でしかなかったからだ。

原油高よりはるかに深刻なガス価格の高騰

2022年6月に発表された「BP統計集2022」によると、2021年における世界のガス事情は次のようなものとなっている。

北米は、生産も（世界の23・1％）消費も（同20・5％）世界最大で、USMCA（アメリカ・メキシコ・カナダ協定。NAFTA＝北米自由貿易協定の後継）3カ国で独立した市場構造を形成している。2016年にアメリカ産LNGの輸出が開始されたが、ヨーロッパやアジアと完全なアービトラージ（裁定）が働いているとはいえない。

たとえば、2022年8月末時点では、米ガスの指標であるヘンリーハブ（Henry Hub

＝ＨＨ。ルイジアナ州のガス受け渡しポイント）価格はＭＭＢｔｕあたり９ドル水準だが、ヨーロッパガスの指標であるオランダＴＴＦ価格は70ドル台となっている。

ヘンリーハブでガスを購入し、メキシコ湾岸にあるＬＮＧ製造装置に運んで液化し、ＬＮＧタンカーでヨーロッパに運ぶために要する費用は合計10ドル以下だ。つまり、ヨーロッパ着価格では20ドル以下で済むはず。だが、ＬＮＧ製造装置の能力に限界があるため、現在以上の量のＬＮＧを製造し、ヨーロッパへ輸出することができないのだ。このようにインフラの限界から、経済原則に基づくアービトラージが働いていないのである。

生産５・２％、消費14・１％のヨーロッパは、域内生産とロシアからのパイプライン供給が主体で、安くなるとＬＮＧを輸入するというスタイルだった。ヨーロッパ内で地域によるアンバランスがあるが、全体としてはＬＮＧ受入基地が過剰で、スポットＬＮＧの〝ラストリゾート〟と言われていた。なお、ヨーロッパへの最大供給元であるロシアは、生産17・４％、消費11・８％である。

アジア大洋州市場は、基本的に輸入ポジション（生産16・６％、消費22・７％）だ。ほぼ１００％ＬＮＧとして輸入している日本は、原油価格リンクの長期契約でカバーする割合が高い構造になっている。

このような三極構造をなしているため、２０２２年８月までの１年間を見ても、アジアのスポットLNG指標であるJKMは、アメリカのガス価格指標であるHHよりは圧倒的に高い。また、ヨーロッパのガス価格指標であるオランダTTFとJKMは、両地域の需給バランス次第で高くなったり、安くなったりしている。アメリカ市場は別だが、アジアとヨーロッパ両市場間ではアービトラージが働いているのだ。

アービトラージ、アービトラージと言われ、もしかすると頭がこんがらかってしまった人もいるかもしれない。そこで、立ち止まって考えてみよう。

アービトラージとは、同じ価値のある商品に一時的な価格差が生じた際、割高なほうを売って割安なほうを買い、両者の価格差が縮まったらそれぞれの反対売買を行い利ザヤを稼ぐという取引のことだ。その結果、市場の歪みが是正されるため、適正な価格形成に役立っているともいわれている。

天然ガス取引においても、石油と同じようなアービトラージが働くのであれば、米HHのガス価に液化費用と輸送費用（平常時なら、ヨーロッパ向け4〜6ドル、アジア向け6〜8ドル程度）を加えたら、ヨーロッパなりアジアなりのスポット価格になるはずだ。だが、現実はまったくそうなっていない。

とりわけ、プーチンがウクライナに侵攻した2022年春以降の市況を見ると、この現実に気がつかずにはいられないだろう。

たとえば、２０２２年８月29日の終値は、ＭＭＢｔｕあたり米ＨＨが９・３５３ドルであるのに対し、オランダＴＴＦは79・９１６ドルだった。値差が70ドル近くもある。平常時なら前述のようにヨーロッパ向けでかかるコストはせいぜい４～６ドル、非常時のいまでも10ドル以下だろうから、間違いなく大儲けをしている人はいる。

だが「では、参入しよう」と思ってもＬＮＧ製造設備に余剰がないから、現在以上のＬＮＧを製造して輸出することはできないのだ。つまり、アービトラージが働かない。

これがガスは石油と違う、と筆者が指摘する現実なのである。

繰り返すが熱量等価で考えると、ガス価格を６倍するとおおよその原油価格になる、と覚えておくと便利だろう。10ドル／ＭＭＢｔｕのガス価格は、原油60ドル／バレルに相当するのである。

たとえば、２０２２年８月中下旬のＬＮＧスポット価格は、アジアでもヨーロッパでもだいたいＭＭＢｔｕあたり55～75ドルだった。これは、原油換算でバレルあたり３３０～４５０ドルに相当する。一方、ロシアのウクライナ侵略によって原油は高騰したが、それでもおおよそ90～１２０ドルで推移している。

また、生産、貯蔵、輸送、消費などを支えるインフラシステムが対応できるようになっていないので、これだけの熱量等価での価格が違っても、ガスから原油へ燃料を転換するという、ある種のアービトラージは限定的にしか働いていないのだ。

たとえばＩＥＡ（国際エネルギー機関）は、定期的に発表している「月報」（Oil Market Report）の２０２２年８月号で２０２３年の石油需要予測を38万ＢＤ上方修正した。ガス価が高騰しているため、発電所でガスから石油への燃料転換が起こっていることを理由として挙げている。

つまり、世界の石油需要約１億ＢＤに対し、ガス価格高騰がもたらす石油への転換は、せいぜい数十万ＢＤ程度なのである。

「武器」の使用を隠さなくなったプーチン

前述した諸要因が重なって、２０２１年夏から秋に向かいヨーロッパのガス価格は上昇し始めた。

Ｐ33の図表１-４で示したように、２０２２年11月９日までの過去１年間のオランダＴＴＦ価格の推移を見ると、２０２１年末に急騰し、１７５ユーロを超えてしまった。

そして「プーチンの戦争」により２２５ユーロをつけたあとも、２０２２年３月以降は不安定な高値が続く。さらにプーチンは、ガスを「武器」として使用することを隠さなくなり、6月には「ノルドストリーム1」の供給量を40％にまで引き下げた。7月中旬、予定されていた「定期補修点検」作業後は送ガスを再開したが20％に抑えており、次に8月31日から3日間、再び修理を行うと通知してきたのは前述のとおりだ。

3日間の臨時補修作業終了後、ガス供給がそのまま停止するかもしれないとの疑心暗鬼から、8月26日には一時、343ユーロ／MWh（メガワット時）にまで上昇した。これは2年前の約30倍である。

ちなみに、図表1-4のグラフの単位は「MWhあたりのユーロ建て」となっている。EUでは「ユーロ／MWh」で表示することが当たり前なのだろうが、EU外のわれわれ専門家でも、アメリカHHやJKM、日本向け長期契約などが「MMBtuあたりの米ドル建て」であるので少々困惑せざるを得ない。一瞬で比較することができないからだ。

2020年に「ブレグジット」し、EUとは別個のシステムで経済運営をしているイギリスのガス価格指標「NBP」（National Balancing Point）は「Therm（10万イギリス熱量単位）あたりの英ペンス建て」となっている。

このように、ガス価格の表示方法の違いにも、世界のガス市場が一体化しておらず、地域分極化している事実が表れていると言えるだろう。

なお、参考までに「MMBtuあたりの米ドル建て」への換算は、次のとおり「ユーロ

／ドル」の為替レートと係数「3・22」を使用すれば換算できる。

ユーロ／MWh×ドル／ユーロ÷3・22＝ドル／MMBtu

安価なロシア産ガスに頼りすぎたEU官僚の大失策

筆者が本章で指摘したいのは、長いあいだロシア産ガスの価格が安すぎたため、EU当局が供給の安全保障の問題を軽視し、ガスの市場化、自由化を急ぎすぎたことが「ガス危機」の原因の1つとなっているのではないか、ということである。

これから見ていくように、2021年の「ガス危機」ひいては「エネルギー危機」の主因は、実はEUのエネルギー政策そのものにあるのではないだろうか。

まず、次ページの図表2-4は2022年11月9日現在のオランダTTFガス価格の過去10年間の推移である。

一目瞭然、2021年までTTFガス価格は、MWhあたりほぼ25ユーロを上回ることなく低位で安定していた。先述の簡易換算係数「3・22」を用いれば、8ドル／MMBtuを上回ることはなく、2019年以降は5ドル／MMBtu以下ですらあったのだ。

図表2-4　オランダTTFガス価格の推移

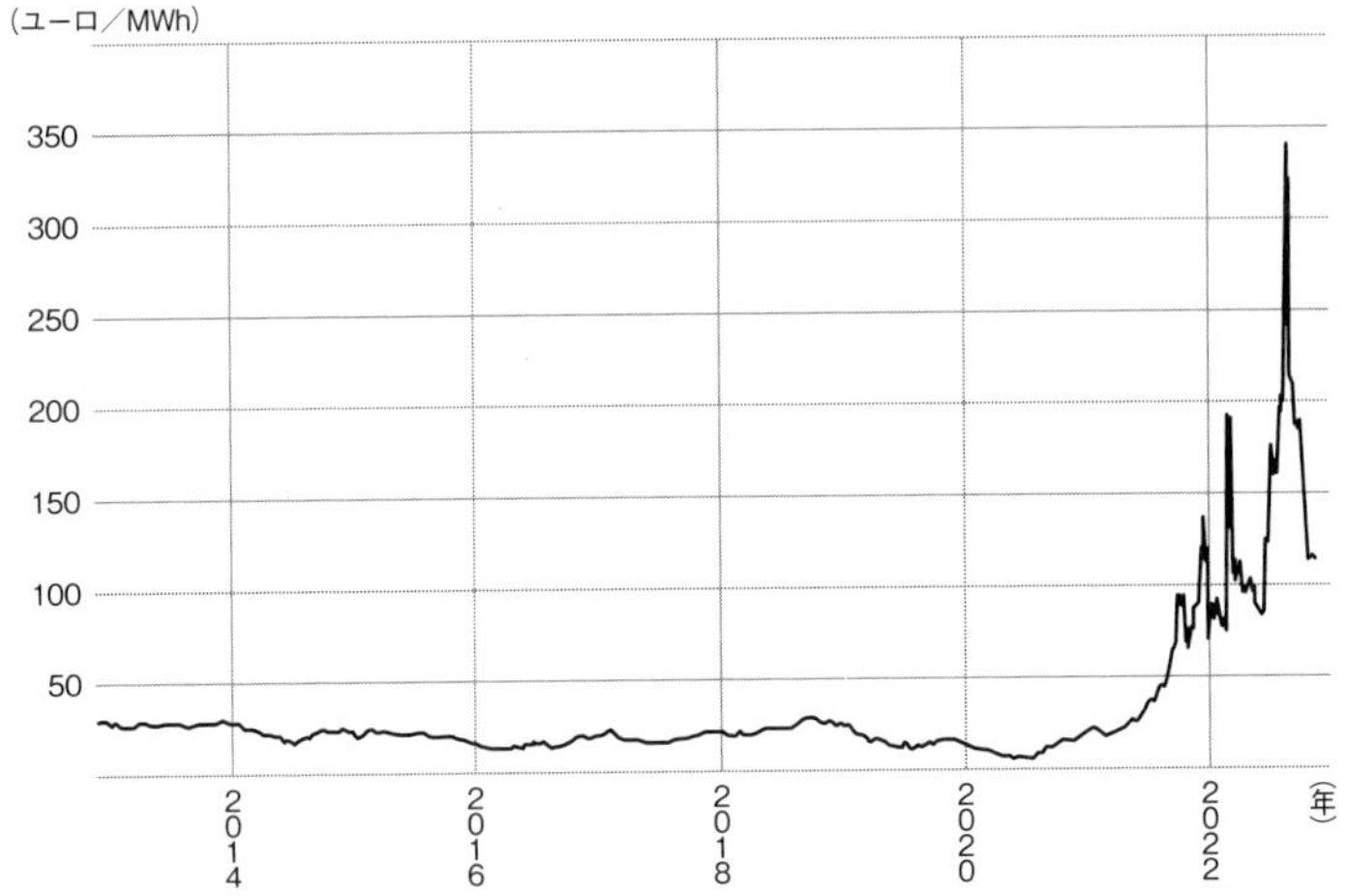

出典：Trading Economics（2022年11月9日）

これを熱量等価で原油に置き換えて説明すると、「バレルあたり48ドルを上回ることはなく、２０１９年以降は30ドル以下ですらあった」となる。この値動きは、Ｐ63に掲載した図表２-３の「世界各地のガス価格の推移グラフ」とも合致している。

一方、この10年間、北海のブレント原油の価格推移は次ページの図表２-５のグラフのとおりだ。ＴＴＦガスと比べると、激しく乱高下している。両者を比べれば、いかにオランダＴＴＦガス価格が低位で安定していたかが、さらにわかるだろう。

ＥＵは、ヨーロッパ域内の経済的統合を目指して１９６７年に発足した欧州共同体（European Communities＝ＥＣ）を発展させる

図表2-5　北海ブレント原油価格の推移

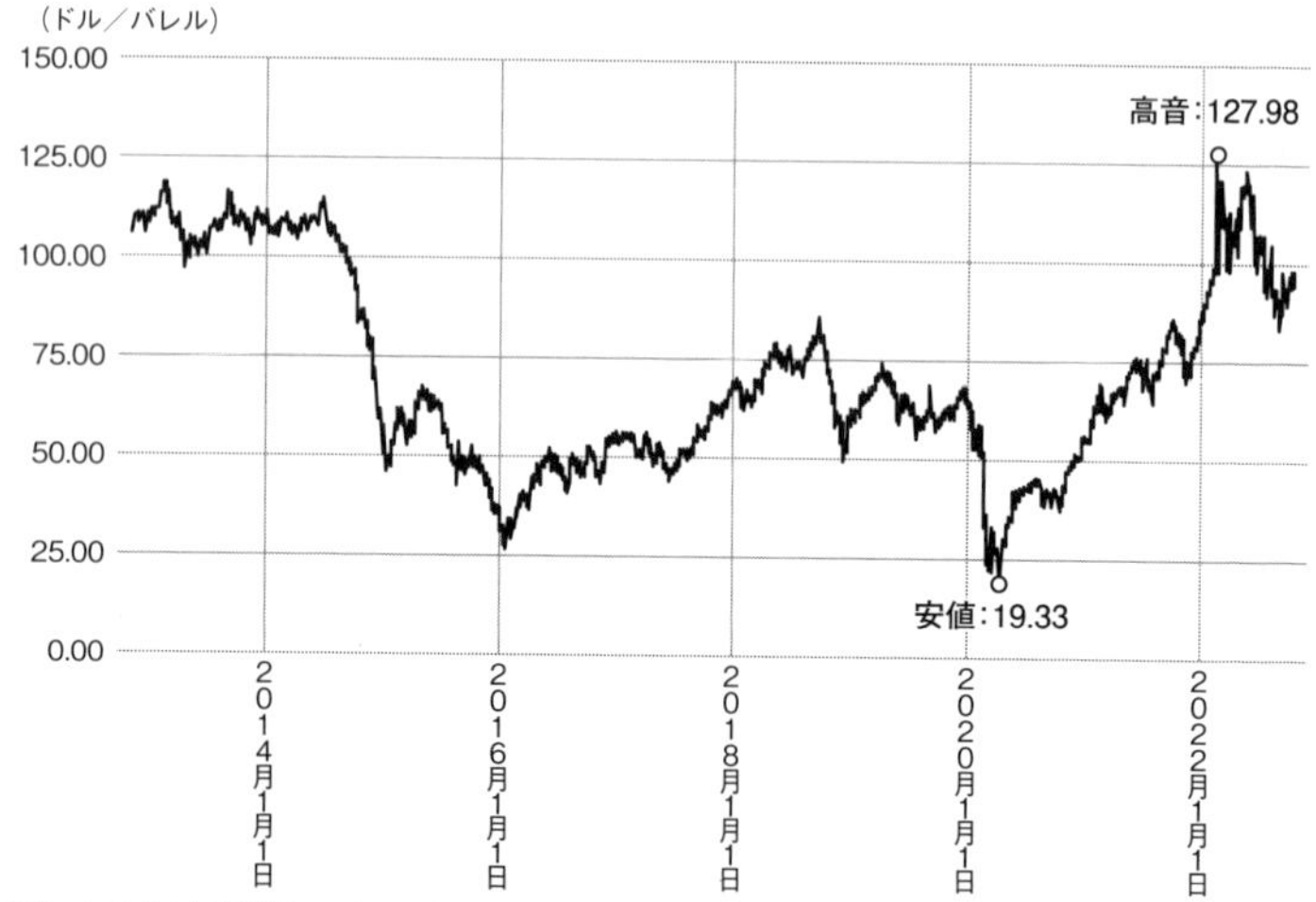

出典：ENEOS市況情報HP（2022年11月10日）

目的で１９９３年に設立された。加盟国間の経済や通貨の統合、共通の外交政策、安全保障政策の立案・実行などを主目的としている。

競争原理導入による市場の自由化が経済政策の大きな柱であり、エネルギー市場についても市場化、自由化を進めてきている。ガス政策については、２００９年に「第３次エネルギー政策パッケージ」と呼ばれるエネルギー政策を採用。以降、ＥＵ当局は加盟国の政府、企業に対し、長期契約を減少してスポット購入を増やし、長期契約の価格フォーミュラ（算式）も、原油や石油製品リンクからＴＴＦリンクに切り替えることを推奨してきた。

必ずしもエネルギー産業に精通していな

いＥＵ官僚が、エネルギー市場も自由化することこそがＥＵ国民にとって望ましいことだ、と確信して推進していたのだ。だが、日本のように石油価格リンクの長期契約でロシア産ガスを購入していれば、プーチンもガスを〝武器〟として「エネルギー戦争」を仕掛けられなかったのではないだろうか。

「ノルドストリーム２」に対するヤーギンの誤認

『石油の世紀　支配者たちの興亡』（上下巻、日本放送出版協会、１９９１年）でピューリッツアー賞を受賞した斯界《しかい》の雄、ダニエル・ヤーギンは近著『新しい世界の資源地図』（東洋経済新報社、２０２２年）のなかで「ノルドストリーム２」ガスパイプラインに関するアメリカの懸念について、次のように述べて「心配無用だ」と指摘していた。

> ロシアが天然ガスの輸出によって影響力を強めるという懸念については、天然ガス市場がヨーロッパでも世界でも様変わりしていることが十分に認識されていない。ヨーロッパの天然ガス市場はすでに買い手と売り手とからなる本物の市場に変わっている。かつてのように長期契約に基づいた固定的なシステムではない。また、ＬＮＧも文字

通りグローバルな産業に成長している。ＥＵが明言しているとおり、今や「ヨーロッパの供給の多様化を推進し、ひいてはエネルギー安全保障の強化に裨益する」産業だ。

ここでヤーギンが「天然ガス市場がヨーロッパでも世界でも（略）本物の市場に変わっている」と「ＥＵが明言している」として原注に紹介しているのは「European Commission – Fact Sheet : Liquefied Natural Gas and gas storage will boost EU's energy security」（以下「ファクトシート」、２０１６年2月16日）という文書だ。

読んでみると当該文書は、まず「ＬＮＧとは」という基本的な説明から始まっていて、ＥＵ市場ではＬＮＧを次のようにして有効活用すべきだ、と指摘している。

・必要なインフラ（ＬＮＧ受入基地）を建設すること
・ＥＵ内ガス市場を完全なものにすること
・域内のガス貯蔵設備を有効に活用すること
・世界のパートナーと緊密に仕事をすること

つまり、いまは不十分だが、このようにすれば「本物の市場」に変わりうる、その方向で政策を推進しよう、ということなのだ。

故意か、偶然かはわからないが、ヤーギンは明らかに誤読している。どう考えても石油と違い、ガスはまだまだ「商品化の入り口」にいるにすぎない。

筆者が、ガスはまだ「商品化の入り口」にいるにすぎないとする根拠を示しておこう。「BP統計集2022」によると、2021年の世界全体のガス消費量全体に占める国際取引は30・2％にすぎない。国際取引の内訳はパイプラインが17・4％で、LNGは12・8％だ。繰り返すが、LNGは世界全体の消費量の12・8％でしかないのだ。

ちなみに、石油について同じように分析すると、次ページの図表2-6のようになっており、ガスと比べると圧倒的に国際取引が大きいことがわかる。

前述した「ファクトシート」を書いたEU官僚は、ガスが石油と異なる供給システムに依拠しているので、さらなるインフラ整備が必要なことを正しく認識しているといえる。つまり、ガス市場はまだ〝本物の市場〟にはなっていないので、LNGを有効に活用することで本物の市場化を目指そう、としているのだ。

ところが現実に政策を樹立する際には、すでにガスも石油と同じように「商品化」し、ガス市場も本物の市場になっていると誤認していたようなのだ。ヤーギンも、ロシアが影

図表2-6　天然ガスと石油の世界生産量と消費量

天然ガス	単位：10億㎥ (%)
世界生産量	4,036.9
世界消費量	4,037.5 (100.0)
国際取引量	1,220.6 (30.2)
パイプライン	704.4 (17.4)
LNG	516.2 (12.8)
国内消費量	2,816.9 (69.8)

石油	単位：1000BD (%)
世界生産量	89,877
世界消費量	96,908 (100.0)
国際取引量	69,952 (68.1)
原油	41,347 (42.7)
製品	24,605 (25.4)
国内消費量	30,956 (31.9)

出典：BP統計集2022

響力を増すことに懸念は不要だ、と誤認していたのは前述のとおりだ。

ところが、ずる賢いプーチンはEUの誤謬に気がつき、P53〜55で説明したように2021年のスポット供給を抑えて在庫積み上げを困難にし、2022年にはさらにガス価高騰を演出した。そして最近では、「プーチンの戦争」の戦費確保のためにエネルギー輸出収入を確保できるよう、EUに対して「分断して統治」する手法を織りまぜながら、戦争継続能力の維持を目論んでいると言えるだろう。

2022年に入ってすぐ、IEAのファティ・ビロル事務局長は、2021年から続いているヨーロッパの「ガス危機」は、ウクライナをめぐる地政学要因を利用してロシアが意図的に供給を絞っていることに責任がある、と非難した。ロシアは現状より30％以上多くヨーロッパにガスを供給できるし、すべきだ、と主張したのだ。

イギリスの『ＦＴ』も２０２２年1月13日、ロシアの意図的な供給削減は、すでにほぼ工事が完了している「ノルドストリーム２」の許認可プロセスを、ドイツが遅延させていることへの政治的圧力を加える意図に基づくものだ、と批判する記事を掲載した。

ところが、イギリスの有力なエネルギー研究機関「オックスフォード・エネルギー研究所」のジョナサン・スターン教授は『ＦＴ』に書簡を送り、「ガス危機」の主因はロシア側にあるのではなく、現在の政策を選択したＥＵ側にもある、と鋭く指摘したのだ。

スターン教授の「書簡」の要点は次のとおりだ。

・ＩＥＡ、およびビロル事務局長の貢献は高く評価するものだが、昨２０２１年のガス価高騰をもたらしたことについて、現在のＥＵガス市場モデルにも責任があることを記録に残しておくことは重要だ。

・ＥＵは約10年前、エネルギー市場の自由化・市場化を目指した「第3次エネルギー政策パッケージ」を採用した。当該政策パッケージとガスプロムのガス供給との関係について協議するため「ＥＵ・ロシア天然ガス諮問委員会」を設けた。自分（スターン教授）は２０１１年から２０１５年まで、同諮問委員会のＥＵ側の代表を務めた。

・この諮問委員会の席上ガスプロムは事あるごとに、ＥＵが長期契約を止めてスポットを増やしていることや、長期契約の価格条件を石油リンクからガス市場リンクに変更していることは大きな過ちだ、と指摘していた。

・だがＥＵ側は聞く耳を持たず、ガス市場ハブを育成し、長期契約の価格条件を石油リンクからガス市場リンクに変更していった。

・例外的な何カ月かを除き過去10年間、ガス市場リンクのほうが石油リンクより安かった。たとえば、２０２０年5月は、石油リンクはガス市場リンクより6倍も高かったのだ（筆者注：もし、長期契約の価格条件を変更せず、石油リンクのままにしていたら、２０２０年5月には実際に支払った価格の6倍を払わなければならなかった、との意）。

・２０２０年末、状況が変わり始めた。当時ガスプロムは毎回、安定供給を望むなら長期契約を結ぶべきだ、と主張していた。

・だが、長期契約を新たに結ぼうというところはなかった。世の中は「グリーン化」に向かっており、新たな長期契約締結はいかなる意味でも容認されなかったのだ。

・これはロシア側の責任ではなく、ＥＵ側の責任である。

・供給不足の責任をロシア側に問うのは、自分たちがつくり上げたビジネスモデルの欠陥を無視することになる。もちろん、ロシア側に「ノルドストリーム２」をめぐる地政学的動機が皆無だった、ということではない。

・２０２１年のようなことは起こるのだ。それが商品市場というものなのだ。

ガス長期契約を拒否したこと、価格をスポットガス価格リンクに変更したこと、そして背後に「グリーン化」があったこと――これらが２０２１年秋からのエネルギー危機の背後にある、という事実を明確に指摘した書簡だ、と言えるのではないだろうか。

なお、スターン教授の書簡は「プーチンの戦争」が始まる前の1月17日に投稿されたものだ。つまり、２０２１年秋からのヨーロッパエネルギー危機について根本的原因を指摘することに主眼があったことに留意する必要があるだろう。

危機から浮かび上がる「エネルギー安全保障」の本質

ここまでに見てきたように、天然ガス供給の安定化、安全保障について、石油と同じように考えるのは根本的に間違いだ、ということはもはや明白だろう。

たとえば、次のようなことを考えてみれば、ご理解いただけるのではないだろうか。

「ＯＰＥＣ」があって「ガス版ＯＰＥＣ」がないのはなぜか？

「ＩＥＡ」があって「ガス版ＩＥＡ」がないのはなぜだろうか？

ガス版ＯＰＥＣがないことについては、ロシアの経済紙『ＲＢＣデイリー』のインタビューに答えてノヴァク副首相（エネルギー担当）が「まだガスはその域に達していない」と発言している。


本インタビューについて『Energy Intelligence』が２０２１年12月29日に報じている記事の要点を紹介しておこう。

・「ガス版ＯＰＥＣ」については、ここ数年何度となく議論はされているが、まったく進んでいない。
・２０２１年10月、サウジアラビアのアブトラアジーズ大臣は「ＯＰＥＣをコピー・ペーストする必要がある」とコメントしていたが、そのときノヴァク副首相は「ガス版ＯＰＥＣが誕生していないのには理由がある」「注意深く考える必要がある」と答えていた。
・今回ノヴァク副首相は『ＲＢＣデイリー』に対し、「生産、供給、スポット取引、すべてにおいてまだ十分には発展していない」「ＬＮＧが増えているが、まだまだパイプラインが主流」「ＬＮＧが国際取引の大半になることが必須」「先物取引における商品の域に達していない」と述べた。

・ドーハに本拠を置く「ＧＣＥＦ」（Gas Exporting Countries Forum＝ガス輸出国フォーラム）は18カ国のメンバーを抱えるが、ノヴァク副首相は、ＯＰＥＣのように市場を規制管理する役割は担っておらず、「情報共有、共同研究を行う機関だ」と語っている。

・現在、起こっている「エネルギー危機」について、ロシア勢は「ヨーロッパが長期契約、長期投資を取りやめ、スポット輸入を増やしたことが原因だ。ロシアのせいではない」と主張している。

「ガス版ＩＥＡ」がないことについては、「ＩＥＡ」の役割を考えてみるのがいいだろう。ＩＥＡは１９７３年のオイルショックを契機に、石油の供給者であるＯＰＥＣが禁輸攻勢をかけてきたことに対抗する消費者側の組織として、当時のキッシンジャー米国務長官の音頭取りで設立されたものだ。

ＩＥＡの役割について、外務省のホームページには次のように記載されている。

・エネルギー安全保障の確保（Energy Security）、経済成長（Economic Development）、環境保護（Environmental Awareness）、世界的なエンゲージメント（Engagement

Worldwide）の「4つのE」を目標に掲げ、エネルギー政策全般をカバー。
・（1）石油・ガス供給途絶等の緊急時への準備・対応と市場の分析、（2）中長期の需給見通し、（3）エネルギー源多様化、（4）電力セキュリティ、（5）エネルギー技術・開発協力、（6）省エネルギーの研究・普及、（7）メンバー国のエネルギー政策の相互審査、（8）非メンバー国との協力等に注力。

ＩＥＡの最大の目的は「エネルギー安全保障の確保」であり、具体的には「石油・ガス供給途絶等の緊急時への準備・対応と市場の分析」である。この目的を実行できるように、加盟国は純輸入量の90日分の備蓄義務を負っている。

外務省のホームページ上では、建前として「石油・ガス」と記載されているが、現実にはガスは除外されている。なぜなら繰り返し説明したように、ガスは常温常圧で気体であるため、石油と違い備蓄には適していないからだ。つまり、ＩＥＡで最も重要な役割である、緊急時に対応するための備蓄を前提にはできないのだ。

業界で「生ガス」と呼ばれている通常のガスは、容量が大きすぎるため在庫する施設も膨大な空間を必要とする。一般的には枯渇した油《ゆ》ガス田《でん》か、それに類似した地層、あるいは岩塩ドームなど、特殊な地勢の場所が適地だ。残念ながら、日本に適地はほぼない。

日本が輸入しているＬＮＧは、マイナス１６２℃以下に冷却することにより生ガスの容積を６００分の１にしたものだ。６００分の１にすることにより、遠隔地でもＬＮＧタンカーで輸送できるようになり、荷揚げ地でＬＮＧタンクに貯蔵することができる。ところが、魔法瓶のような特殊鋼板でつくられたＬＮＧタンクといえども、外気の影響により平均的に毎日０・１～０・２％は蒸発してしまう。１カ月で３～６％だ。

これはボイルオフと呼ばれる現象で、液体ＬＮＧが温められて気体の生《き》ガスになってしまうのだ。ある程度の量を超えるとタンク内の圧力が高くなりすぎ、保安上の問題が生じてしまう。

したがってＬＮＧは、長期間の在庫には向いていないということになる。ましてや、いざというときのためにためておく備蓄は、技術上・経済上、おおよそ無理なのだ。

以上をまとめると、将来のエネルギー政策において教訓とすべきことは、次のようなことになるのではないだろうか。

まず、一次エネルギー全体で考えるべきであることは論をまたないが、石油とガスとは似て非なるエネルギーだとの認識の下、それぞれ別個に対策を打ち立てる必要がある。

もちろん他の一次エネルギーも、それぞれの特性に基づいた政策議論が必要だ。

石油が戦争そのものを変えたと言われる第1次世界大戦の直前に、大英艦隊の燃料を石炭から石油へ変更することを決断したウィンストン・チャーチルは次のように述べている。「石油における安全性と確実性は、多様性と多元性にのみ潜んでいる」(Safety and certainty in oil lie in variety, and variety alone.)

この至言は「石油」を「エネルギー」に置き換えることによって、現在にも通じるエネルギー安全保障政策の基盤となるであろう。

キーワードは無論「多様化」「多元化」である。異なる一次エネルギーを、国家の事情に合わせた形で最適のポートフォリオを組み、それぞれの供給源も多様化、多元化することが、見えないが、しかし確実に日本に迫りつつある危機への備えとして肝要なのだ。チャーチルの言葉を、平和なうちに噛みしめておくべきではないだろうか。

第3章

「世界最大の産油国」アメリカの次なる野望

「石油はあと10年でなくなります」

１９９２年某月某日、筆者はニューヨーク・マンハッタンにある某ホテルの会議室にいた。本社からの指示で、某元売り石油会社の特約店ミッションの皆さんに、アメリカの石油事情についてお話をすることになっていたからだ。

当時は恒例行事だったのだろうか、大手特約店は1年に一度、いわばご褒美旅行を用意していた。ガソリンスタンドで働く社員たちの慰労を兼ねて、毎年違う国へ数十名単位で「海外石油事情視察ミッション」として送り込んでいたのだ。

１９８０年代半ばのロンドン勤務時代にも、何度かお迎えしたことがある。ただし、視察先はロンドンではなく、デンマークのコペンハーゲンだとか、オランダのアムステルダムといった大陸の大都市が多かった。

その点、アメリカミッションは異例だった。

ヨーロッパミッションの要請は、まがりなりにも現地の石油会社の小売部門を往訪し、その地でのガソリンスタンド経営の実態を学んだり、実地にガソリンスタンドに足を運んだりした。筆者の任務は、それらの手配、同行、通訳だった。

ところがアメリカミッションの場合は、回りたいところが多かったのか、ホテルでの朝食の時間にアメリカ石油事情の話をしてほしい、お話ししているところの写真を撮らせていただき、講演内容をレジメとして後日提出してもらいたい、との要請だったのだ。

つまり、報告レポートを記録として残せるようにしたい、ということだ。

「業務」としての「石油事情視察ミッション」という建てつけにするために、このような〝設《しつら》え〟が必要だったのだろう。


会場は一応、ホテルの他の客たちとは隔離された会議室だった。だが、ビュッフェ式の朝食が用意されてあり、そのため給仕するホテルスタッフも大勢いた。

講演の時間となり、ミッションの仕切り役から促され、筆者は演台に立った。だが、当然のことながら皆、ビュッフェに夢中だ。お皿を手に何を食べようかと物色している人もいれば、ビュッフェボードの前に並びながら歓談している人もいる。すでにテーブルに戻って食べ始めている人もいた。

ほぼ、想像どおりだ。

要請を受けたときから、これはフツーの話をしたのでは誰も聞いてくれないだろうな、と思っていた。

それはそれで仕方がないことかもしれない。でも、どうせなら聞いてもらいたい。あるいは、朝食を楽しめなくなるかもしれないが、視察ミッションでアメリカに行って、ニューヨークで三井物産の岩瀬という人からこういうことを聞いた、ためになった、と、少しは思い出してもらいたい——。

筆者は考えた。

どうしたら皆さんが動きを止めて、話を聞いてくれるだろうか？

考えに考えて、次のように話を始めた。

「皆さん、世界の石油は、あと30年か40年でなくなってしまう、という話はご存じですよね。ところが、このアメリカでは40年どころか、10年でなくなってしまうんです。10年で」

食事を選んでいる人も、並んで歓談している人たちも、席で食事を楽しんでいる人たちも、全員が一瞬、動きを止め、筆者のほうを見た。

とりあえず、つかみは成功である。かくて、それから15分ほど、知っているようでいてあまり知らない、アメリカの最新石油事情について講演をした。

1992年の段階で筆者が、アメリカの石油が10年でなくなってしまう、と話したのはあながち間違いではない。

ビュッフェ朝食をとっている客人を前に、熱弁を振るったころのアメリカの可採年数（埋蔵量を生産量で割ったもの）は、９・６年だったからだ。

最新の「２０２２年版」では、算定方法論を見直し中とのことで「埋蔵量」は記載されていないが「ＢＰ統計集」によると、２０２０年末段階でのアメリカの可採年数は11・４年となっている。

ちなみに、本書で何度も登場する「ＢＰ統計集」とは、英大手石油会社のＢＰが１９５２年から毎年発表しているものである。

１９５２年とは、ＢＰの実質的誕生の地イランで、パーレビ国王が若くして即位した直後。パーレビ国王にはまだ実権がなく、選挙に勝利して就任したモサデク首相によって「アングロ・ペルシアン石油」（ＢＰの前身）が国有化された翌年のことである。

イランによるメジャー資産の国有化事件については、当時、まだ製油所を持たない大手販売業者だった出光興産がタンカー「日章丸《にっしょうまる》」を派遣し、禁輸を破ってガソリンや軽油を輸入することに成功し、日本中が沸き立った物語を、映画『海賊と呼ばれた男』で知った人もいるだろう。

筆者も最初の「１９５２年版」のコピーを手元に所持しているが、全７ページの、きわめて簡単なものである。本社計画部から担当役員への報告書の体裁となっている。以来、すでに70年以上にわたり毎年公表されている、最も信頼できる統計集の1つだ。前の章で登場した、現代エネルギー業界の代表的論客であるダニエル・ヤーギンは、海外出張に行くのに不可欠なものは、パスポートと「BP統計集」だと言っていたそうだ。

話を戻そう。

マンハッタンで話をしたときから、すでに30年が経過している。当時、あと9・6年でなくなってしまうはずだった石油は30年後のいま、さらに11・4年は生産できるのだ。

つまり、石油はなくならない。なぜだろうか？

アメリカ石油事情視察ミッションに来られた皆さんには、この「なぜ」を説明した。実は「可採年数」とは、ある時点の「埋蔵量」を、その年の生産量で割った数値だ。生産量が一定だとしたら、この「埋蔵量」はこれから何年持つだろうか、ということだ。

生産量は、それほど難なく数値を確認することができるだろう。

問題は「埋蔵量」だ。

詳細は拙著『石油の「埋蔵量」は誰が決めるのか？』（文春新書、2014年）に譲るが、この「埋蔵量」の定義が可採年数のカギを握っているのである。

アメリカの石油可採年数が常に10年である理由

少々、説明しておこう。

通常「埋蔵量」(Reserve)とは、地中に眠る石油の「資源量」(Resource)のうち、その時点の技術力と経済条件でほぼ90%以上の確率で生産に結びつけられる「確認埋蔵量」(Proved Reserve＝1P)のことをいう。修飾語をともなわない「埋蔵量」とは、この「確認埋蔵量」のことなのだ。

さらに「埋蔵量」には、その時点では50%程度の確率である「推定埋蔵量」(Probable Reserve＝2P)と、10%程度でしかない「予想埋蔵量」(Possible Reserve＝3P)と呼ばれるものもある。これらはさらに時間と資金をかけ、追加の探鉱作業を行わなければ「確認埋蔵量」とみなせるかどうか、その時点では不確実な埋蔵量ということだ。

このように「埋蔵量」は大雑把に三分類できる。厳密にはもう少し難しい定義があるのだが、ここでは省略させていただこう。

アメリカの場合、SEC(Security Exchange Commission＝証券取引委員会)が詳しい定義を定め、上場企業には、公表する財務諸表に保有埋蔵量＝保有確認埋蔵量を記載するよう命じている。心ない企業が株価引き上げを狙って、過大な保有埋蔵量を記載するのを防ぐためだ。つまり、投資家保護が目的である。

２００４年には、大手石油会社「ロイヤル・ダッチ・シェル」（当時の名称で現在はシェル）の経営トップ３人が、財務諸表記載の保有埋蔵量に誤りがあった、とのことで退陣を余儀なくされたことがあった。発表済みの埋蔵量をSEC定義に従って見直したところ、修正が四度に及んだことに加え、最終的に45億バレル（石油換算）という、25％もの大幅な下方修正となったからだ。

45億バレル（石油換算）とは、最近の日本の石油・ガス総消費量の約2年半分である。

営利企業であるアメリカの石油会社は、自分たちが保有する鉱区内にどれだけの「１Ｐ」があるのか、さらに「１Ｐ」になるかもしれない「２Ｐ」、さらには「２Ｐ」になるかもしれない「３Ｐ」が、どれだけあるのかを知っている。

ちなみに、世界のほとんどの国では地下資源は政府のものと定められているが、アメリカでは土地所有者のものとなっているため、土地を「リース」（貸借）して石油開発を行うのが通常だ。詳細は拙著『石油の「埋蔵量」は誰が決めるのか？』（文春新書、２０１４）を参考されたい。したがってリースは「鉱区」にほぼ等しいので、本書ではときに「リース」と表記している。

話を戻すと、３Ｐを2Ｐに、２Ｐを１Ｐと認定できるようにするためには、さらなる資金を投じ、時間をかけて探鉱作業を行わなければならない。もちろん、探鉱作業を行ったが１Pとは見なせなかった、という結果に終わることもある。不確実なのだ。

仮に成功したとしても、早くてもそれから十数年経たなければ、生産にはつながらない。経営者として投下資本と株主還元のバランスを考慮すると、当分のあいだ収益をもたらすことにならない埋蔵量のために、いま資本を投ずることはしないのだ。そんなことをすると株主から、資金のムダづかいだ、とお叱りを受けるに決まっている。

したがってアメリカの石油会社は、不必要な探鉱作業への資本投資を抑えている。１P＝確認埋蔵量は10年分もあればいい、と考えているのだろう。

だからアメリカの可採年数は、いつの年もほぼ10年なのである。

エドウィン・ドレーク「大佐」から始まる世界の石油の歴史

世界の石油の歴史は１８５９年、エドウィン・ドレーク「大佐」がアメリカ・ペンシルベニア州タイタスビルで初の機械掘りを成功させ、商業生産を始めたときから始まる。

ここで「大佐」とカッコ書きにしたのには理由がある。

かつて列車の車掌をしていて、その後、失業中だったエドウィン・ドレークを、石油開発に有望だと思われていたペンシルベニア州タイタスビルに送り込んだボストンの銀行家たちが、事前にドレーク宛に手紙を何通か送っており、宛名をコロネル・ドレーク（Colonel Drake＝ドレーク大佐）としていたのだ。

異郷の地によそ者がやってきて、これまでになかった石油掘削という仕事をするにあたり、ドレークが働きやすくなるようにと銀行家たちが考えての策略だった。かくてドレークがタイタスビルに着いたその日から、地元の人たちは自然と、ある種の尊敬の念をもって彼をドレーク「大佐」と呼ぶようになった、というわけである。

ドレークが初の商業生産を開始して以来、アメリカの石油生産は、中東の大油田が生産を開始するまでの約100年間、ほぼ右肩上がりだった。1900年前後の3年間だけ、いまはアゼルバイジャンの首都となっているバクー地域を抱えていたロシア帝国に譲ったが、ほぼ100年間、世界最大の産油国の地位を維持してきた。

米エネルギー省傘下の「ＥＩＡ」（Energy Information Administration＝エネルギー情報局）によると、生産量のピークはオイルショックが起こる直前の1970年で963万7000ＢＤ（日産バレル）だった。だが、以降下落基調に転じ、リーマンショックの起こった2008年にはボトムの500万ＢＤとなってしまう。

当時は、石油はそのうち採掘できなくなるという「ピークオイル論」が全盛で、世界最

図表3-1　アメリカの原油生産量の推移

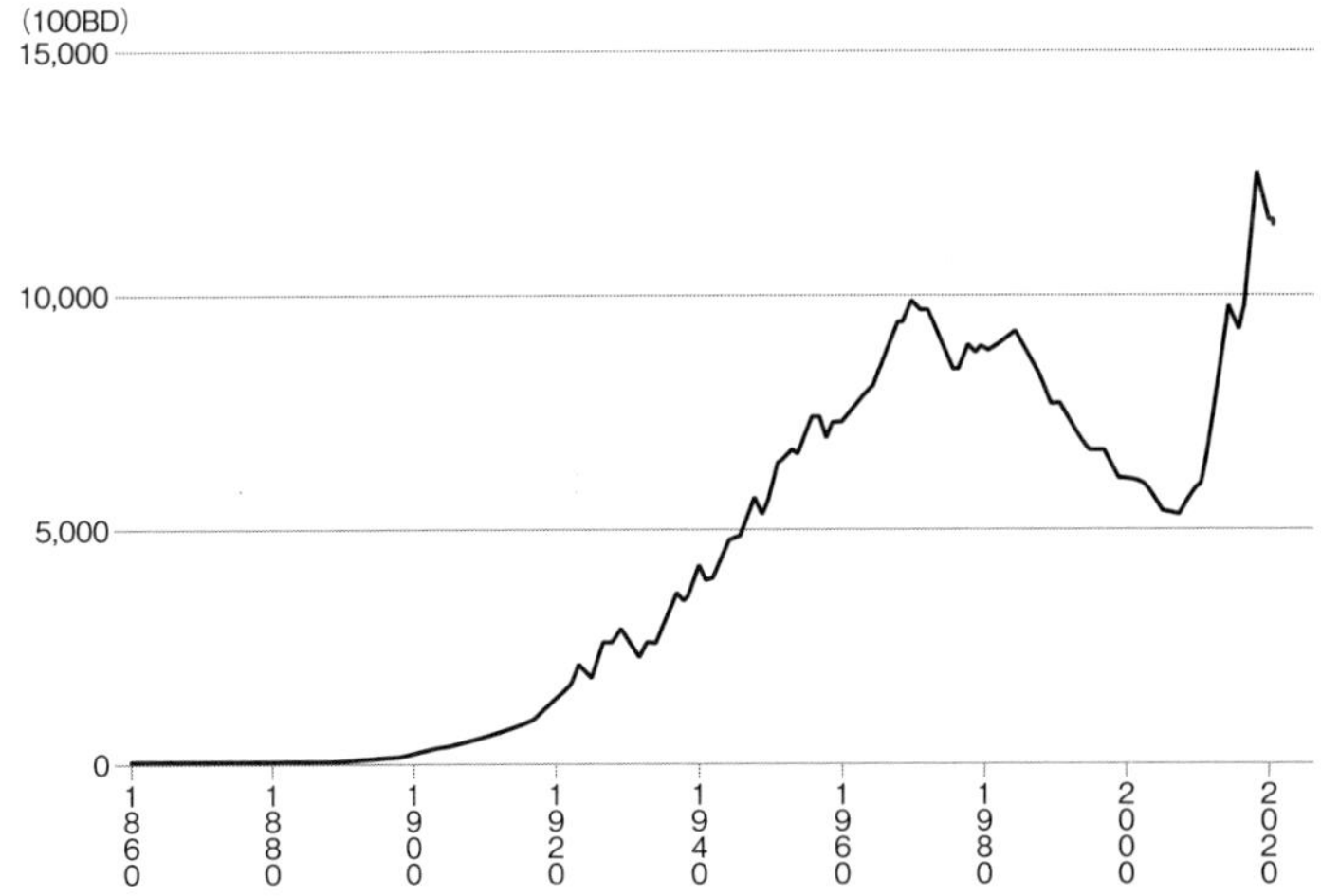

出典：EIA

大の石油消費国であるアメリカは海外依存を増やすしかない、との悲観論が支配的だった。

ニクソン大統領が「エネルギー自立」(Energy Independence) を政策目標に掲げたのは、オイルショック真っただ中の１９７３年11月のことだ。以来「エネルギー自立」は、党派を超えて歴代大統領のエネルギー政策の中核をなす。ただし、アラスカでの生産開始はあったものの、アメリカの石油の生産量は長期にわたり減少し続けていた。

ところが、政府が非在来型石油開発を助成したことなどが引き金となって、「シェール革命」につながる。油価の上昇もあり、最初は「シェールガス革命」を引き起こした水圧破砕法が「シェールオイル」の開発に適用されるようになり、アメリカの原油生産量は2010年代になってようやく増加に転じたのだ。

そして、いまでは1000万BD以上の生産を誇り、サウジアラビアやロシアと並ぶ世界3大産油国の1つへと復活したのである。

では、具体的に何が「シェール革命」をもたらしたのだろうか。

「シェール革命」を起こしたワイルドキャッターの執念

シェール革命は1人のワイルドキャッターの執念から始まった。

その名を、ジョージ・ミッチェルという。

ワイルドキャッターとは、山猫（ワイルドキャット）のように人里離れた山野を歩き回り、一獲千金を求めて石油開発に挑む「山師」のことである。

「シェール革命の父」と呼ばれたジョージ・ミッチェルは1919年、一切学校教育を受けていなかったため字も読めなかったギリシャ移民の親の元、テキサス州ヒューストンから遠くない港町ガルベストンで生まれた。

テキサスA&M大学で地質学と石油工学を学び、1940年に首席で卒業したのち、大手石油会社のアモコに入社した。だが、ほどなく太平洋戦争が勃発したため、陸軍工兵隊に入隊。戦後、兄とともに石油コンサルタント会社を興し、次いで石油開発会社「ミッチェル・エナジー」を起業した。紆余曲折はあったが、生産した天然ガスをシカゴ市にパイプラインで送る事業を成功させ、財をなすことができた。

だが、保有しているリースの生産量が減少し始め、埋蔵量も枯渇への道を歩んでいた。このままでは、シカゴ市への販売契約を遂行できなくなる恐れがある。そこでジョージは、リース内シェール（頁岩《けつがん》）層にある天然ガスを経済的に生産できないかと研究を始めた。

シェール層とは、硬いフィルム状の岩がミルフィーユ状に重なり合っている岩石層だ。少々専門的になるが、その特徴を説明しておこう。

石油ガスの生成において、シェール層は「在来型」の砂岩層や炭酸塩岩層と異なり、油・ガスが移動するための浸透性（しみこみやすさ）が少なく、孔隙率《こうげきりつ》（隙間の程度）も極端に小さい。

また、石油を生成する根源岩でもあるため、なかに石油やガスが賦存《ふぞん》（潜在的に存在していること）していることが多かった。だが、在来型の貯留岩のように、根源岩で生成された石油・ガスが移動してきてたまっているわけではないので、密度が低く散在しており、経済的に成り立つコストで石油を生産するのが難しかった。

在来型と呼ばれる通常の掘削方法では、坑井《こうせい》（ここでは石油またはガスを採取するための生産井）あたりの生産量が少なく、満足な経済性を保てないのだ。そこでジョージは、1940年代後半から在来型坑井で生産性を向上するために使われていた水圧破砕法を試してみることにした。

水圧破砕法とは、超高圧の流体（液体）を硬い岩盤層に注入し、人工的に亀裂（フラクチャー）を生じさせる方法である。岩盤中に散在している油・ガスを、亀裂を通して坑井に集めるためだ。課題は、破砕した亀裂が大きすぎても、すぐに閉じてしまっても、期待した生産量を維持できないということ。逆に、成功のカギを握っていたのは、水圧破砕に利用する流体をどのようなものにするかにあった。

「こうなったら馬糞でも混ぜてみるか」

ジョージの部下の技術陣は、試行錯誤しながら、考えうるあらゆる方法・流体を試してみた。亀裂を起こさせる流体は、在来型の石油開発でもジェル状のガソリンや灯油、あるいは精製油や原油などに、化学品やプロパントと呼ばれる砂のような粒状の物質を混ぜたものが使われていた。

何と何を、どの比率で混ぜると目的を達成できるのか。思いつく限り、いろいろなものを混ぜてみた。だが、最適解が見つからない。「カクテルリスト」は長大なものになった。技術陣たちは「こうなったら馬糞でも混ぜてみるか」とまで自嘲するようになっていた。

社内にも、投下する資本がムダではないか、との声が次第に大きくなっていた。当然、コストはかさんでいく。そんななか、技術陣はコストが安い水を主成分としたミックスを試してみた。すると、これが大成功だったのだ。

ミッチェル・エナジーの存続をかけて挑んだテキサス州バーネットにおけるシェール層からの天然ガス生産に成功したのは、1998年の夏のことだった。水圧破砕法にチャレンジしてから17年の歳月が過ぎていた。ジョージは、すでに79歳になっていた。

こうしてガス生産量は上向き始め、ジョージは2002年、ミッチェル・エナジーを中堅石油会社「デボン・エナジー」に31億ドルで売却した。ジョージ個人の資産は20億ドルになった。ジョージ、83歳の夏であった。

ミッチェル・エナジーを買収したデボン・エナジーは、ジョージの会社より規模も大きく、事業範囲も広かった。海外でも石油開発を行っていた。

デボン・エナジーは、水圧破砕法と、他の石油採掘プロジェクトで効果があった「水平掘削」手法を組み合わせ、シェール層の坑井あたりの生産量を増やすことに成功する。

水平掘削は、1929年テキサス州テクソンで使われたのが最初だといわれている古い技法だ。もっとも当時は、水平掘削の距離はせいぜい15m程度だった。現在では技術の進歩により、もっと長い水平掘削が可能となっている。

シェール業界で昨今「M&A」(Mergers & Acquisitions＝合併・買収)が多い。隣接鉱区を所有する企業を買収することにより、水平掘削の距離を延ばせるからだ。すなわち1坑井あたりの生産量を大幅に増やすことができる。

ちなみに水平掘削の最長距離はエクソンが、すでに撤退を表明しているロシアの「サハリン1」プロジェクトで掘削した1万2376mである。これは、東京駅と東京ディズニーランド間の直線距離とほぼ同じだ。

2000年代半ばになって、折から油価が上昇し始めていたこともあり、同じシェール層でも天然ガスより回収率が低く、生産コストも余計にかかるオイル生産に挑む会社が出始め、成功しつつあった。

こうした、ジョージたちによる「シェール革命」を業界として正式に認知したのは、2009年だったといえる。エクソンが当時アメリカ最大のガス生産企業だった「XTOエナジー」を41億ドルで買収したからだ。保守的で、世界で一番優秀な石油会社だと自負しているエクソンが手を出したのだから、シェール革命はホンモノだ、というわけだ。

ジョージがシェールガス革命として始めたものが、ガスのみならずオイルをも生産するようになり、かくてシェール革命として定着し、アメリカの「エネルギー自立」実現に大きく寄与したのである。

イラクの原油生産量より多いシェールガスの副産物

では、アメリカが世界最大の産油国の座に返り咲いたのはいつだろうか？

『日本経済新聞』は２０１５年６月11日〈米が世界最大の産油国に 39年ぶり、14年ＢＰ調べ〉と報じた。さらに『日経』は４年後の２０１９年３月27日〈米、世界最大の産油国外交・通商でトランプ流加速〉という記事で次のように報じている。

米エネルギー情報局（ＥＩＡ）が26日に公表した月次エネルギー報告書によると、18年のアメリカの原油生産は17年より17％増えた。ロシアとサウジアラビアを上回る日量１０９５万バレルとなり、世界首位に浮上した。

どちらが正しいのだろうか？

実は、どちらも正しいのだ。

ポイントは「世界最大の産油国」の「油」＝「石油」という語の定義にある。実は石油には広義と狭義、2種類の定義があるのだ。

2014年、アメリカが世界最大の産油国になったという前者の記事では、石油という語が広義の意味で使われている。他方、2018年だという後者の記事は狭義の意味で使用されているのだ。

「BP統計集」には産油量を示す「Oil：Production in thousands of barrels per day」＝広義と、「Oil：Crude oil and condensates production in thousands barrels per day」＝狭義が掲載されている。それぞれの数値を、ライバルのサウジ、ロシアと比べたのが次ページの図表3-2、3-3である。

「BP統計集」では、広義の産油量でアメリカがサウジを抜いて世界最大となったのは2014年だが、狭義の意味でロシアを抜いて世界最大となったのは、『日経』の記事にある2018年ではなく2019年となっている。『日経』が参照しているEIAの元データが何なのかが判然としないので事の正誤は判断できないが、いずれにせよ、2018年か19年に、アメリカが狭義の意味でも世界最大の産油国になっているのは間違いない。

では「広義」と「狭義」とでは、何がどう違うのだろうか。

図表3-2　広義の原油

	2013	2014	2017	2018	2021
アメリカ	10,103	11,807	13,140	15,310	16,585
サウジ	11,393	11,519	11,892	12,261	10,954
ロシア	10,807	10,927	11,374	11,562	10,944

（単位：1000BD）

図表3-3　狭義の原油

	2013	2014	2017	2018	2019	2021
アメリカ	7,498	8,792	9,357	10,941	12,289	11,188
サウジ	9,875	9,941	10,175	10,533	10,145	9,394
ロシア	10,528	10,479	10,898	11,083	11,186	10,455

（単位：1000BD）

「BP統計集」では、きわめて専門的な注釈が付されている。簡単に言えば「NGL」（Natural Gas Liquid＝天然ガス液）という、ガス生産の副産物を含むか否かの違いだ。

第37代大統領のニクソン以来、党派を超え代々の米大統領が追求してきた「エネルギー自立」がようやく実現できたのは、前述のとおり間違いなくシェール革命のおかげだ。

だが、貢献したのは、実はシェールオイル、シェールガスだけではない。シェールガスの副産物であるNGLの存在も大きいのだ。

NGLとはどういうものか、少々説明を加えておこう。簡単に言えば、高圧高

図表3-4　アメリカの石油生産量（実績＋予測）

	2021年	2022年	2023年
シェールオイル	7.29	8.03	8.83
メキシコ湾	1.71	1.76	1.86
在来型	2.25	2.15	2.05
原油小計	11.25	11.94	12.74
非在来型NGL	4.28	4.73	5.14
在来型NGL	1.12	1.10	1.04
NGL小計	5.40	5.83	6.18
バイオ燃料他	1.17	1.21	1.25
石油合計	17.82	18.97	20.17

（単位：100万BD）

温の地下にあっては気体で天然ガスに混じっているが、常温常圧の地上では液体として分離する性質をもつ。性状は軽質原油で、シェールオイルに類似している。

ＮＧＬは、原油として精製することが可能だ。だが、アメリカのほとんどの精製装置が中重質油を前提につくられているため、中重質原油にＮＧＬを混ぜたほうが経済性が高い場合が多く、現にそうしている製油所が多い。

最近になって、世界のあちらこちらでＮＧＬ専用の簡易精製装置もつくられているが、あくまでもマイナーな存在だ。

在来型と呼ばれる、これまでの伝統的な生産方法に基づく天然ガスの生産からもＮＧＬは付随生産されてはいるが、大半がシエールガス生産の副産物である。かくてアメリカでは、シェールガスの大増産に伴い、非在来型NGLの生産が増加しているというわけだ。

たとえば「OPEC月報」(Monthly Oil Market Report) 2022年8月号が伝えているアメリカの石油生産量(実績+予測)を、図表3-4にまとめた。

シェールガス副産物のNGL、すなわち非在来型NGLの生産は増加しており、2023年には500万BDを超えると予測されている。OPEC全体のNGL生産量も500万BD強だ。これは、OPEC加盟国で第2位を誇るイラクの原油生産量より多い。

しかも、気づいた人もいるかもしれないが、シェールオイルとシェールガス付随の非在来型NGLを合算すると、アメリカの石油生産量の実に70%弱に相当する。

2020年の大統領選のさなか、バーニー・サンダース候補やエリザベス・ウォーレン候補など民主党左派が主張していたように「水圧破砕」を全面的に禁止したら、アメリカの「エネルギー自立」は壊滅状態に陥るところだったのである。

アメリカ国民による"ガソリンがぶ飲み"の実態

6月にはガロンあたり5ドル(1ドル=135円で換算すると178・3円/ℓ。以下、便宜的

図表3-5　アメリカのガソリン価格の推移

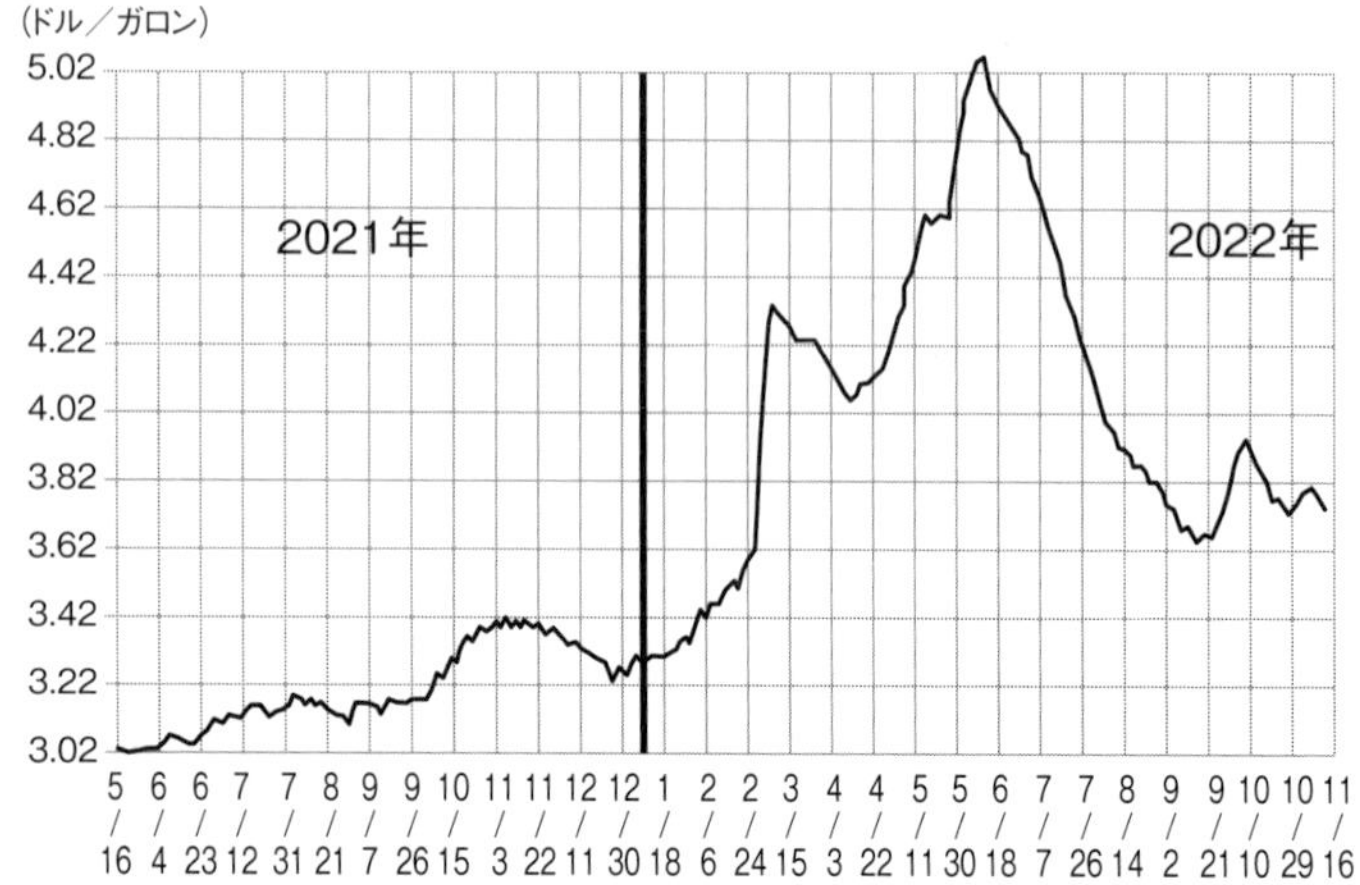

出典：GasBuddy.com（2022年11月16日）

に上記ドル円レートで換算）を超えていたアメリカのガソリン価格は、7月に入って下落し始め、8月末には4ドル（142・7円／ℓ）を割り込む水準となっている。

米「EIA」のデータによると、長らくガロン（3・785ℓ）あたり1ドル台だった全米平均ガソリン価格は2004年5月、初めて2ドル台（2・023ドル）となり、2007年5月には初の3ドル台（3・187ドル）を記録。2008年6月に4・105ドルをつけたものの、それからしばらくは落ち着いていた。

ところが、図表3-5にあるように、ロシアがウクライナに侵攻した2022年3月、再び4ドルを超え（4・322ドル）、6月にはついに5ドル台にまで上昇した

図表3-6 自動車燃料の消費量の日米比較

	アメリカ	日本
ガソリン	7,897（42.3）	764（22.9）
軽油	3,856（20.6）	727（21.8）
小計	11,753（62.9）	1,491（44.7）
石油合計	18,684	3,341

（2021年、単位：1000BD、カッコ内%）

（5・032ドル）。

7月に入ると、中国が「ゼロコロナ」政策を堅持していることから景気悪化が如実になり、さらにインフレ懸念から世界景気の後退が危惧されるようになる。すると、石油需要の増加に不安感が漂い始め、油価は下落し始めた。

9月以降の原油相場は、高値を望むOPECプラスの減産（強気要因）と、前述した景気後退感からの需要増加の伸び減退（弱気要因）が綱引きする、80〜100ドルのボックス圏での展開になっている。これにつれて、アメリカのガソリン価格もガロン当たり3・60〜4ドルで推移している。

インフレの主要要因ともいわれるこの夏場のガソリン価格高騰は、人々の生活を直撃し、11月に行われた中間選挙の一大争点となった。言うまでもないが、アメリカは自動車社会だ。通勤で、通学で、自動車は人々の足になっている。「BP統計集2022年版」によると、2021年の自動車燃料の消費量は図表3-6のようになっている。参考までに日本

図表3-7　日本のガソリン価格の推移と補助金の効果

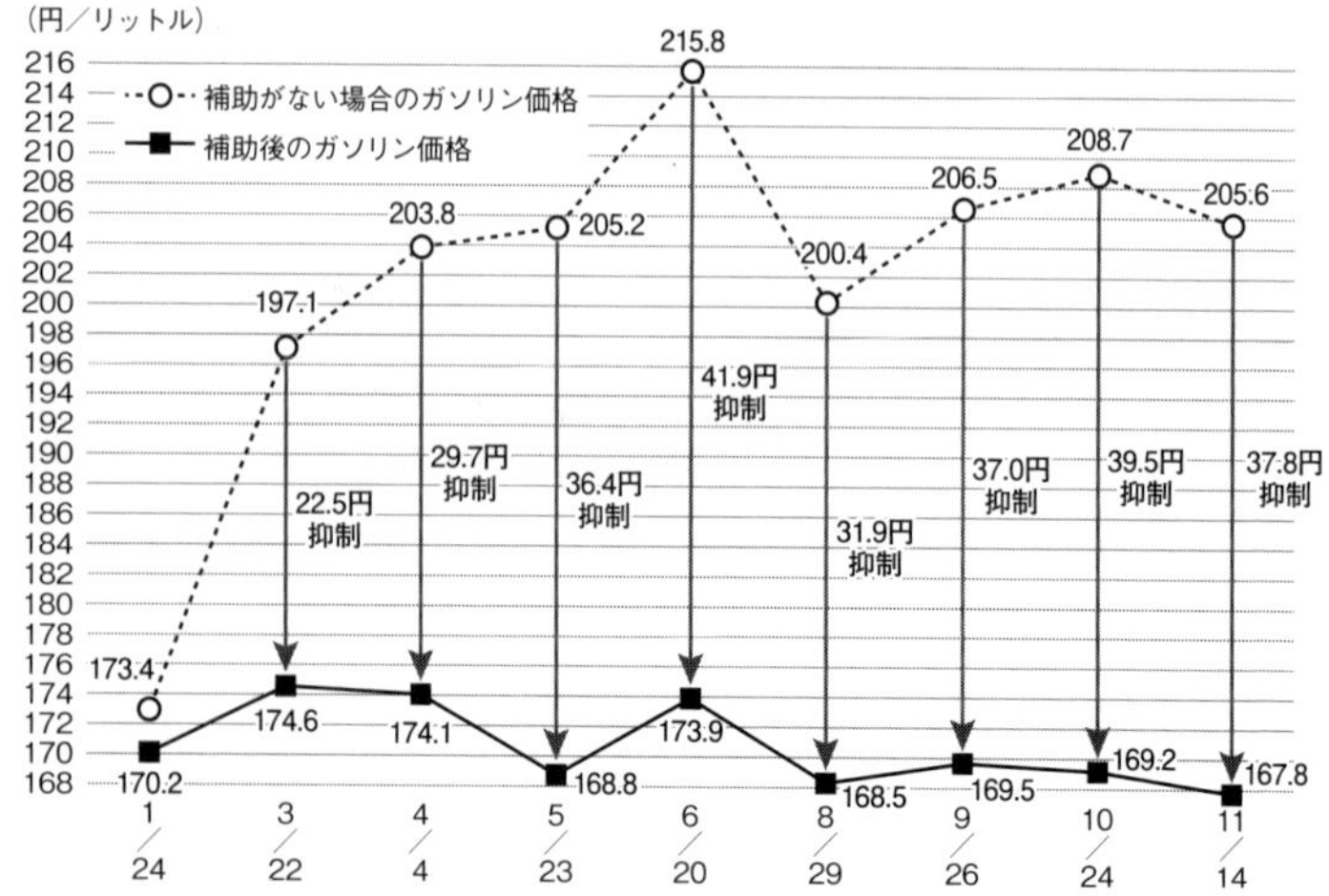

出典：エネルギー資源庁HP

の数値も並べてみよう。

アメリカの人口（3億3200万人）は日本（1億2600万人）の約2・6倍だ。ところが、石油製品全体の消費量は5・6倍で、ガソリンは10倍強。アメリカ人はまさに、ガソリンを〝がぶ飲み〟しているのだ。

ガソリン価格を引き下げるために原油価格を引き下げたいと、バイデン大統領は選挙公約である気候変動対応、すなわち脱炭素化、グリーン化政策を「お休み」してでも対応をせざる得なくなった。

前述したとおり、ガロンあたり5ドルとはリットルあたり178円強と、2022年夏現在の日本の平均価格に近似している。

もっとも日本のガソリン価格は補助金により抑えられており、アメリカでガロンあたり5ドル以上となっていた6月、もし補助金がなかったら215円になると、経産省が発表しているほどだ。

その後、原油価格は一進一退を繰り返しているが、急激に進む円安により図表3-7のグラフに表れているように、注入する補助金の額は高止まりしたままである。

ではたして、世界的にみて日本のガソリンは、どれほど高いのだろうか。

ベネズエラと香港で200倍も違うガソリン価格

世界各地のガソリン価格について、興味深いデータがあるので紹介しておこう。「GlobalPetrolPrices.com」というサイトが発表しているものだ（2022年11月14日現在）。ただし、リットルあたりの米ドル表示なので、各国通貨と米ドルとの為替レートが大きな影響を与えていることに留意されたい。

まず産油国のなかでも、巨額の補助金を供与しているベネズエラやイランだ。それぞれガソリン価格は3円、7円と、ほとんど〝タダ〟同然になっている。

・ベネズエラ　0・016ドル／ℓ（2・16円／ℓ）

・イラン　　　　０・０５３ドル／ℓ（7・16円／ℓ）

大産油国だが「ビジョン２０３０」を掲げ、脱石油を目指してガソリン課税を始めたサウジアラビア、あるいは少しずつ国際価格に近づけようとしているＵＡＥ（アラブ首長国連邦）のような国もある。

・サウジアラビア　０・６２０ドル／ℓ（84円／ℓ）
・ＵＡＥ　　　　０・８７７ドル／ℓ（１１８円／ℓ）

アメリカは大産油国で税金も比較的少ないが、表面的には補助金で抑えている日本とほぼ同じ水準になっている。

・アメリカ　　　１・０５６ドル／ℓ（１４３円／ℓ）
・日本　　　　　１・１７１ドル／ℓ（１５８円／ℓ）

ヨーロッパの非産油先進国は軒並み高い。

・フランス　1・674ドル／ℓ（226円／ℓ）
・ドイツ　1・918ドル／ℓ（259円／ℓ）
産油国だが「脱炭素」を目指す国策などにより、高額の税金を課している国もある。
・イギリス　1・951ドル／ℓ（263円／ℓ）
・ノルウエー　2・143ドル／ℓ（289円／ℓ）
そして、世界で一番高いのが香港だ。何とリットルあたりほぼ400円となっている。
・香港　2・955ドル／ℓ（399円／ℓ）
このように、世界のガソリン価格はリットルあたり2円から400円と、大きな差が生じている。

なぜだろうか。そもそもガソリン価格は、どのようにして決まるものなのだろうか。

各国それぞれ地政学的条件も歴史的背景も異なるので一概には言えないが、理解のためにあえて簡略化すると、ガソリン価格は次のような構成となっていると言えるだろう。

ガソリン価格＝原油価格＋運賃＋税金（&／or補助金）＋精製販売経費＋利潤

日本の場合は、中東などの産油国からタンカーで輸送する運賃や保険を加えて日本着（CIF＝運賃保険料込み条件）原油価格となり、そこにリットルあたり2・8円の輸入関税がかかっている。さらにガソリン税が53・8円かかり、そのうえで二重課税になる消費税が10％かかるという構成になっている。当然、精製販売経費や利潤も上乗せされている。

これらの税金と精製販売経費＋利潤は、短期間ではほぼ一定とみなしてかまわないだろう。したがって、ガソリン価格の最も大きな変動要因は、やはり原油価格だといえる。

だからこそガソリン価格を引き下げたいバイデン大統領も、原油価格の動向に神経をとがらせているのだ。

2021年5月、アメリカのガソリン価格がガロンあたり3ドル（リットルあたり106円）を超えたころからバイデン政権は、「OPECプラス」と呼ばれる産油国グループに増産を要請し始めた。秋になって、ヨーロッパがガス危機からエネルギー危機の様相を呈すると、原油価格を引き下げるべく戦略備蓄の放出に加え、12月中旬には国内の石油開発会社へも増産を呼びかけ始めた。

「バイデン政権は石油会社の邪魔などしていない。これまでのどの政権より多くの許認可を与えている」

これはグランホルム・エネルギー長官が、業界の集まりの場で語った言葉だ。

だが、年が明けても原油価格は下がる気配を見せず、２月になるとロシアがウクライナに侵攻し、原油もガソリンもさらに上昇してしまう。３月に入ると原油は一時１４０ドル近くまで上昇し、アメリカのガソリン価格は４ドル（リットルあたり１４３円）台に急騰した。

グランホルム長官は再び、業界のカンファレンスの場で石油開発会社に対し「いまは戦時体制だ。できることをすべて行って、ぜひ増産してほしい」と要請。だが、化石燃料からのグリーン化、脱炭素を公約に掲げて選挙に勝ったバイデン大統領に対し、石油業界は非友好的だと認識しているため反応は鈍かった。

指導者の「右向け」にまるで従わないアメリカのお国柄

なぜ、世界一の産油国になったにもかかわらずガソリン価格高が続き、しかも業界はそれに対応しないのか。世の中の多くの人が誤解している点について触れておこう。

筆者がここで言う「世に流布している誤解」とは、世界三大産油国であるサウジアラビア、ロシアおよびアメリカは、まったく異なる政治形態、経済体制で国家が運営されているのに、あたかも横並びであるかのように考える人が多いということだ。

たとえば、2021年12月3日、ニッポン放送『飯田浩司のOK! Cozy up!』という番組で「OPECプラスが原油増産計画維持を決定」したことについて解説していた外交評論家の宮家邦彦氏もまた、この点を誤解していた。

宮家氏は「トランプがこう言ったら」「バイデンがこう言ったら」と、あたかもアメリカが、ムハンマド・ビン・サルマーン皇太子（MBS）が「右向け」といったら全員が右を向くサウジと同じ国であるかのように説明していたのだ。

これは大きな間違いである。

この世界の三大産油国の違いについて筆者は、次のように説明している。

・サウジは、MBSが「右向け」と言ったら「右を向く」国
・ロシアは、プーチンが「右向け」と言ったら「半分、右を向く」国
・アメリカは、大統領が「右向け」と言ったら、「うるさい、それはオレたちが決める

ことだ」と反発する国

石油産業の実態を見てみれば、このことは容易に理解できるだろう。

サウジの石油は国営石油「サウジアラムコ」が１００％生産している。

ロシアは、国営石油のロスネフチや国営ガス会社のガスプロムの石油開発子会社など国営関係企業が、ほぼ50％を生産している。

一方、アメリカは、すべてが民間企業によって生産されている。自由経済の原則のもとで経営を行っているアメリカの企業は、生産方針について政府の「指示」に従う立場にはない。自分たちの企業の経営責任は、自分たちが負うもので政府にとやかく言われるものではない、というのが本音なのだ。

「エクソンは神よりも儲けている」

２０２２年春が過ぎても原油価格は１００ドル以上の高値で安定し、ガソリン価格はさらに上昇した。

すると、６月に入ってバイデン政権は、ガソリンなどを販売している石油会社に批判の矛先を向けてきた。「下流」と呼ばれる、精製販売に従事している会社だ。

石油会社が好決算となっているのを見てバイデンは、「エクソンは神よりも儲けている。ガソリン価格が下がるように投資をせよ」と非難した。原油価格がほぼ横ばいであるにもかかわらずガソリンが高いのは、石油製品をつくって販売している石油会社がぼろ儲けしているからだ、と言わんばかりのクレームだった。

だが、これはエクソンが反論するまでもなく、自由経済の国アメリカでは余計なお世話だ。原油もガソリンも、基本的に価格は市場で決まるからである。

実は、昨今の原油価格上昇の主因は、バイデンの指摘とは違うところにある。数年前からの上流部門（探鉱・開発・生産）への投資が減少していたのだ。振り返ると次のような事情があった。

２０１４年末から原油価格が暴落しているなかで、２０１５年11月、世界１９５カ国と地域が「パリ協定」に調印した。気候変動問題へ世界が一丸になって対応しようという協定だ。目的達成には、化石燃料の消費量を減らすことが必要となる。

ほぼ世界中の国が「パリ協定」に調印したという事実が象徴的だが、それまで「ピークオイル論」に支配されていた石油「欠乏の時代」から、「余剰の時代」に変貌したと認識されるようになった。

図表3-8　世界の石油開発への投資額の推移

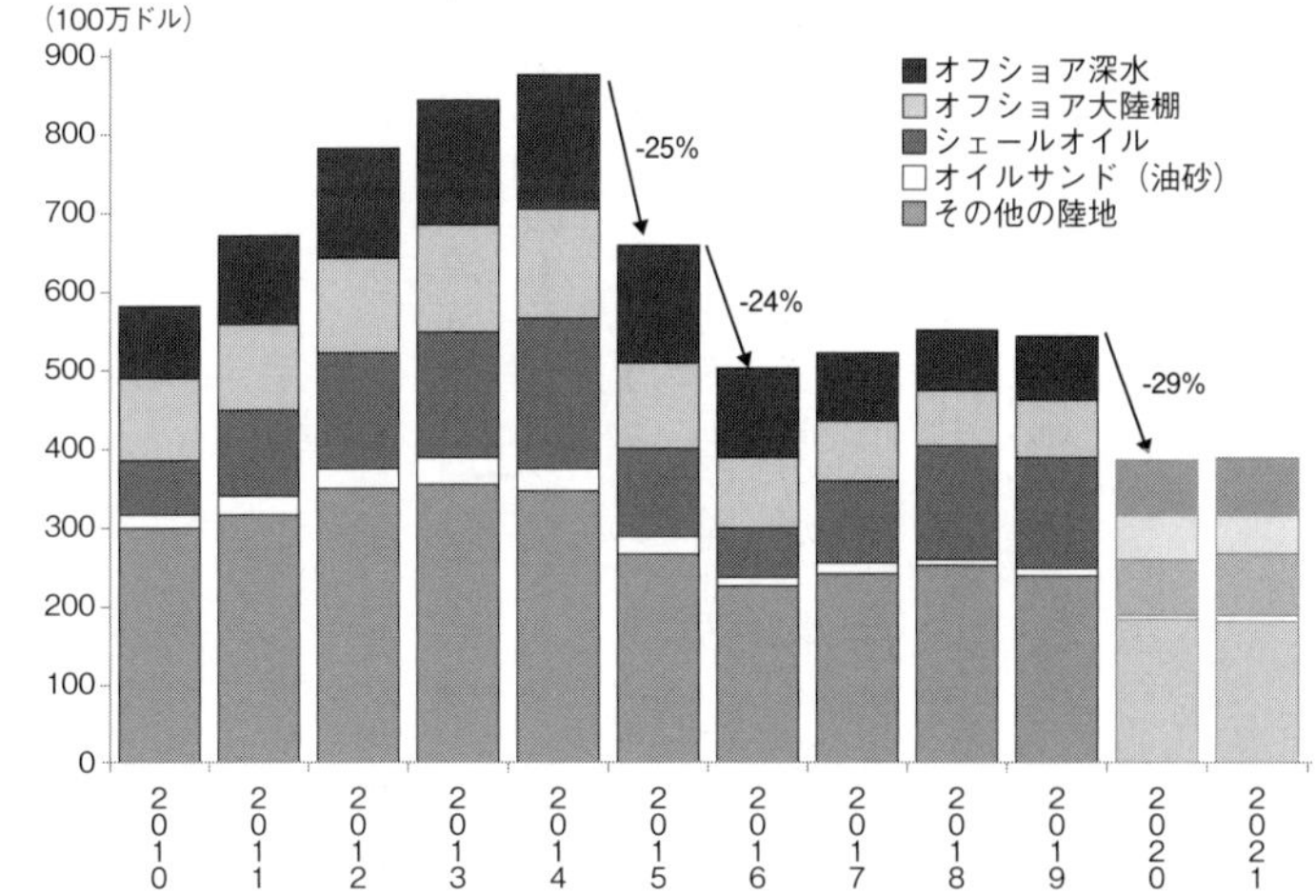

出典：Rystad Energy（2020年6月）

したがって、２０１４年末に暴落した原油価格は、当分のあいだ「１００ドル時代」に戻ることはないだろう、とみられていたのだ。

その結果、世界中で上流部門と呼ばれる石油開発への投資が激減したのである。

追い打ちをかけたのが、ＩＥＡが２０２１年５月に発表した「２０５０年ネットゼロ工程表」（Net Zero by 2050 A Road Map for Global Energy Sector、以下、「工程表」）だ。

ＩＥＡはこの「工程表」において、次のように断言した。

・２０５０年までに温室効果化ガス排出ネットゼロを実現するには、再生可能エネルギー等非炭素エネルギーの供給

が増えることが前提

・石油ガスはすでに発見・開発されている量で十分なので、新規の探鉱活動は一切不要

つまり、新たに探鉱を行い、発見し、開発・生産しても需要はなくなっており、近い将来それは価値を大きく棄損した〝座礁資産〟になるのだから投資はやめろ、と。これが、ここ数年の上流部門への投資が減少していることに、お墨つきを与えることになった。

だが、当のＩＥＡは２０１７年７月11日、次のように警告していた。

すなわち、２０１６年のエネルギー部門への投資は前年比マイナス12％の１兆７０００億ドル、石油ガス探鉱開発部門へは、同じくマイナス26％の６５００億ドルにすぎず、この上流部門への投資減少が「将来の供給不足」を招きかねない、と。

ＩＥＡは、工程表に「新規石油ガス探鉱不要」と記載するにあたり、「ただし、代替となるエネルギーが十分に供給されるようになれば」との条件を記載すべきだった。

いずれにせよ、油価暴落が起こった２０１４年末以降、上流部門への投資が減少していることが、昨今の原油価格高騰の遠因となったのである。

石油は「欠乏の時代」から「余剰の時代」に突入した

一方、上流投資減少と同じ理由で、精製・販売・流通を含めて「下流」と呼ばれる原油から石油製品をつくる精製設備への投資も落ち込んだ。

これも昨今、ガソリン価格が高値に張りついている原因の１つである。その前提として、本章でも何度か登場している、２０１０年代初頭までは主要な考え方であった「ピークオイル論」について、まず簡単に説明しておこう。

そもそもは１９５６年、当時メジャーの一角、シェルのアメリカ法人に勤めていたキング・ハバート博士が、アメリカに存在しているすべての坑井の地質データ等を集め、アメリカの石油生産は１９７０年代にピークを迎える、と主張したのが出発点だった。

その後も、地球上から有限な資源はいつか必ずなくなる、という誰にでも理解しやすい〝俗説〟に支えられ、ピークオイル論は長く主流とみなされてきた。２０００年代初頭の油価高騰を説明する理論としてもてはやされ、日本でも関連書籍が出版されている。

だがピークオイル論は、埋蔵量につながる資源量を固定して考えているところに欠陥があった。そのため、１９６５年にアラスカで、１９８９年にはメキシコ湾深海でそれぞれ大油田が発見されたことで、すでに破綻したとみなす人も少なからずいたのだ。

図表3-9　日本の原油処理能力と設計能力稼働率の推移

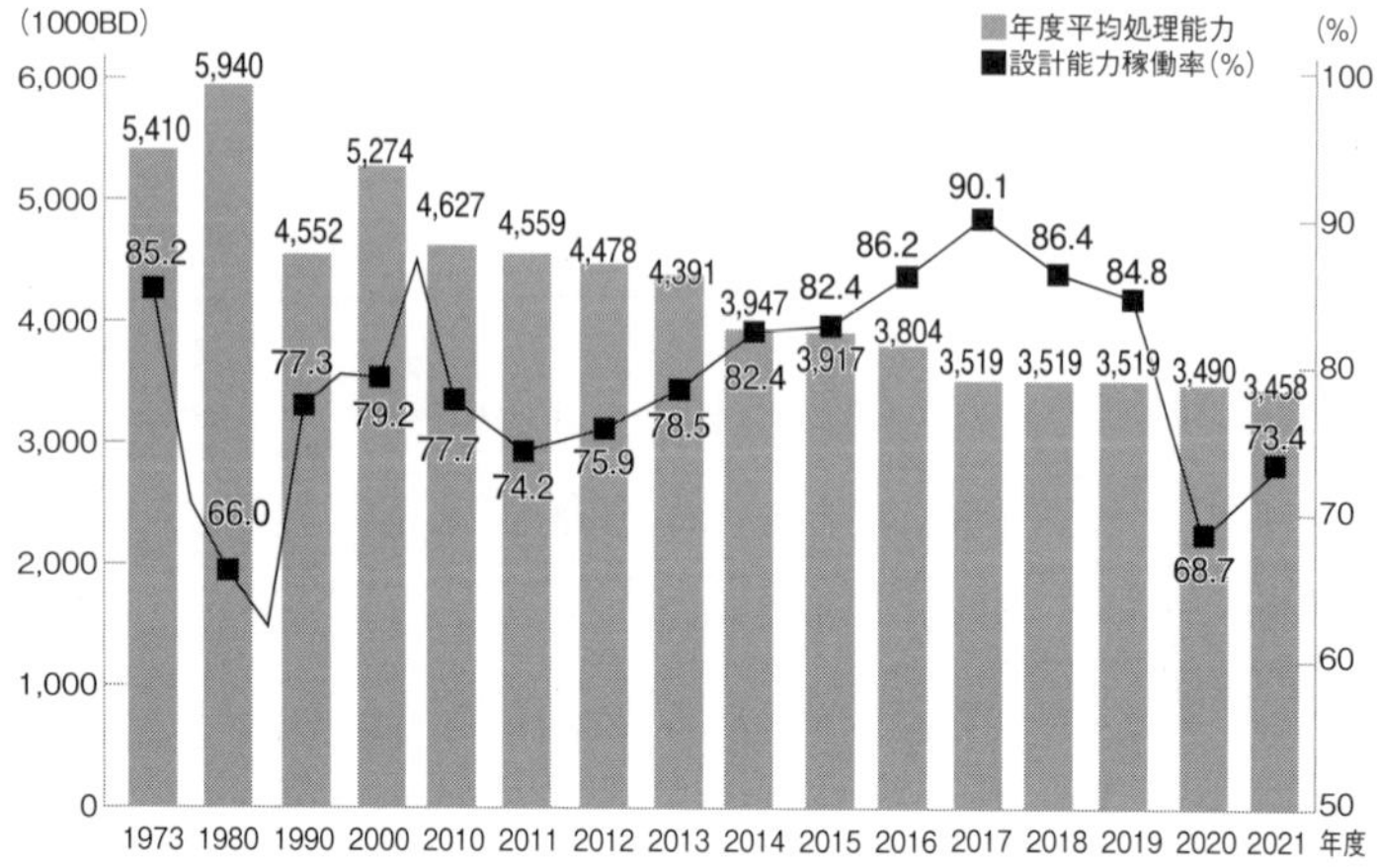

出典：石油連盟「今日の石油産業2022」

そこにシェール革命が起こった。前述したとおり、石油は「欠乏の時代」から「余剰の時代」に入ったのだ。

いまでは供給がピークを迎える前に需要がピークを迎える、という考え方が主流になっている。問題は、ピークを迎えるか否かではなく、いつ迎えるかだ、と認識されているのだ。これは「新ピークオイル論」、あるいは「需要ピークオイル論」と呼ばれている。

このような環境下、２０２０年４月には、コロナ禍による石油需要の「蒸発」とともに史上初の石油のマイナス価格という事態が発生した。これが上流部門のみならず、精製販売流通という下流部門への投資縮小にも拍車をかけたのだ。その結果、アメリカの精製設備容量は頭打ちから減少に転じてしまったのである。

消費量がほぼ横ばいの一方で精製設備容量が減少しているため、稼働率は高いまま推移しており、２０２０年春の落ち込みはあるが、最近はほぼフル稼働となっている。

翻って、日本の事情はどうであろうか。

日本の精製設備容量は、少子化の影響もあり、石油消費量の減少にともない長期減少傾向となっている。

２０２２年にもＥＮＥＯＳ和歌山製油所（12・８万ＢＤ）の閉鎖、および出光興産傘下の西部石油山口製油所（12万ＢＤ）の操業停止が発表された。

歴史を振り返ると、１９７９年の第２次オイルショック以降、脱石油・脱中東のエネルギー政策がとられたこともあり、以来、消費量は右肩下がりの減少傾向が続いている。

これまで述べてきたように、上流部門への投資不足から世界的に原油供給能力が減少し、さらに、同じく投資が滞ったことからガソリンを製造する精製関連設備も減少傾向となった。ところが、そこへコロナからの〝復興需要〟が予想以上に膨らんだ。人々は〝禁足《きんそく》令《れい》〟を解かれ、再び移動を始めたのだ。

かくてガソリン価格は、８月に入って落ち着きを見せているものの、コロナ前と比べると依然高騰し続けているのである。

明らかに変節したバイデン政権の向かう先

何度も指摘したように、ロシアがウクライナに侵略した「プーチンの戦争」によって、エネルギー供給の安全保障問題が一躍クローズアップされている。

２０１５年のパリ協定以降、「はじめに」でも触れたように、世界は「More Energy Less Carbon」の同時達成という、二律相反する難しい課題に直面してきた。筆者の目には、ここにきて、この命題の難しさを世界は改めて実感させられていると映っている。

では、これからアメリカは、どちらに向かっていくのであろうか。

足元では、「プーチンの戦争」が起こったことにより、バイデン大統領は短期的には環境エネルギー政策を１８０度転換させようとしていることが顕著となっている。

２０２０年の大統領選で共和党トランプ前大統領との接戦を制したバイデン大統領は、環境エネルギー政策の面でも前任者の諸施策をひっくり返すところから始めた。

第46代アメリカ大統領に就任した２０２１年1月20日、バイデン大統領は21の大統領令に署名した。なかには「パリ協定」への復帰や、カナダからの大型原油パイプラインである「キーストンＸＬパイプライン」の認可取り消しが含まれていた。ともにトランプ大統領が大統領令で実行した施策である。

さらに「アースデイ」である4月22日に気候変動サミットを主催し、環境問題でのイニシアチブをヨーロッパから奪還する姿勢を示してみせた。オバマ大統領が主導して調印にこぎつけた「パリ協定」の方向性を、前任者トランプ大統領がひっくり返した。それをもう一度元に戻そうというわけである。

バイデンは「２０５０年排出ネットゼロ」および、「２０３０年排出50〜52％削減」も誓約し、「２０３５年までに電源燃料をすべて非炭素燃料とする」方針も打ち出した。

民主党の大統領候補を争ったバーニー・サンダースなど党内左派が強く主張していた、シェール革命の核というべき技術「水圧破砕法」の使用禁止については、連邦所有地内の「リース」（一種の鉱区権）に限定したが、連邦所有地・水域における「リース」の新規入札は一時停止する、と発表した。

このように、「グリーンニューディール」を掲げて大統領選を勝ち抜いたバイデン大統領の環境エネルギー政策は、トランプ大統領の「More Energy」重視から１８０度転換し「Less Carbon」に注力する姿勢を明らかに示したものだった。

だが、中間選挙が行われる２０２２年、前年秋から上昇を続けているガソリン価格は

「プーチンの戦争」の影響もあり、さらに高騰し、インフレの主要な要因にもなっている。戦略備蓄を大量に放出したが、原油価格は下がらない。何とかしなければ中間選挙敗北は必至だ。さらに2024年の大統領選も不利な情勢となる。

こうしたことは当然わかってはいるものの、反面、打つ手のないバイデンは2022年7月中旬、サウジアラビアへと向かった。自らが大統領選のさなか、主に人権問題を理由に「世界のパリア（のけもの）にする」と批判した国へ、だ。

ちなみに「パリア」とは、インドのカースト制度の最下層「不可触民」のことである。

詳細は第5章で紹介するが、サルマーン第6代国王の実子で、第3世代最初の国王に就任することが確実視されているムハンマド・ビン・サルマーン（MBS）皇太子が、最近は老齢な父サルマーン国王に代わり実質的指導者として国政を仕切っている。

だがバイデンは、自らの交渉相手は元首であるサルマーン国王だとして、MBSとの電話会談要請にも応じなかったと言われている。したがって7月16日、バイデンがMBSと話し合いを持つことに同意し、サウジまで飛んで行ったのは一大事件だった。

バイデンは、油価を鎮静化させるためにMBSの協力が必要で、一方のMBSは、この機会に自らをバイデンと対等のサウジの実質的トップと認知せしめ、アメリカとの新たな関係を築くことを目的とした会合だったといえよう。

このようにバイデンは、いまや明らかに「Less Carbon」を後退させ、「More Energy」を追求している。政治的レトリックとして「more now less later」（いまは多くの供給が必要、将来少なくする）を標榜し、「Less Carbon」は中長期の課題、「More Energy」は短期的難題との姿勢を維持しているが、バイデンの変節は明らかである。

前述したように、ガソリン価格の高騰とインフレによりバイデンの支持率は右肩下がりで落ち込んでいた。だが７月以降、インフレによる景気後退懸念、アメリカに次ぐ世界第２位の石油消費国である中国のコロナ再燃による景気低迷などにより、油価が下落し始めるにつれてガソリン価格も下がり始め、バイデンの支持率はようやく上昇に転じている。

これには「インフレ抑制法」（ＩＲＡ＝Inflation Reduction Act）と称される、クリーンエネルギーへ移行するための投資を促進することによりインフレ抑制を目指した法律の成立が大きく寄与したと言われている。

さらに、学生ローンの債務免除、あるいは一時停止を発表しており、支持率はさらに上昇するのでは、とも予測されている。

事実、ただでさえ現職不利とされ、大敗すら予想されていた２０２２年11月の中間選挙で、バイデン民主党は下院こそ共和党に過半数を奪われたものの、上院の過半数を維持するという予想を覆す善戦をみせた。とはいえ、これで２０２４年の大統領選も民主党盤石かと言えば、決してそんなことはないだろう。実際にアメリカ国民がどのような選択をするのか、大統領選当日まで誰もわからない。

化石燃料も再エネも「持てる国」アメリカ

それでは「プーチンの戦争」が終わったのち、アメリカはどのような環境エネルギー政策をとるのだろうか。実は筆者は、2024年の大統領選で共和党が勝利しようと民主党が死守しようと、大きな流れは変わらないとみている。無論、それは「More Energy Less Carbon」の同時達成追求だ。その根拠を見ていこう。

アメリカは個人の自由意思を尊重する国である。政治の仕組みも同じ考え方に立っている。したがって、大統領の考え方だけで推進できる政策には限りがある。連邦議会も大きな力を握っているし、州など地方政府の権限も強い。

環境保護を目的として1969年に成立した「国家環境保護法」に類似した法律を独自に制定している州は、カリフォルニア、ニューヨークなど十数州に及ぶ。これらの州では、連邦政府がどう言おうと、州内でのあらゆるプロジェクトに環境アセスメントを必要としている。つまり、クリーンエネルギーへの移行を明確な目標にしているのだ。

政府の介入を極力拒否する経営を行うことを是としている民間石油会社も、気候変動問題への対応を無視しては経営できないことを認識している。そのため、グリーン化を目指す低炭素技術・事業への取り組み姿勢を強めている。ヨーロッパのライバル企業と比べると気候変動問題への取り組みは若干遅れてはいるが、必要性は十分に認識し、有利な立場となるべく、着々と手を打っているのが現実、と筆者は判断している。

つまり、連邦政府の政策にかかわりなく、自らの判断で環境エネルギー政策を追求する州などの地方政府や民間企業がアメリカには存在しているのだ。

さらに、豊富な石油・ガス資源に恵まれているのもアメリカの強みだ。太陽光や風力を競争力のある一次エネルギーとして利用できる自然にも恵まれている。

日本がエネルギーを「持たざる国」であるのに対し、アメリカは化石燃料も再エネも「持てる国」なのである。これは「More Energy Less Carbon」の同時追求を目指し「グリーン化・脱炭素化・エネルギー移行」を推進していくうえで、圧倒的に有利な地理的条件だ。

豊富な化石燃料を有効利用しつつ、豊かな地理的条件を活用して再エネ供給力を高め、さらにはどうしても化石燃料を使わなければならない分野で「ＣＣＳ」（Carbon dioxide Capture and Storage＝二酸化炭素回収・貯蔵）を併用していく――これらのことをすべて自国内で行える実力が、アメリカには備わっているのだ。

ちなみにCCSとは、どうしても発生を抑えることができないCO_2を回収し、大気への影響のない地下の地層に永久に貯蔵するプロセスのこと。CCSこそ、21世紀半ばまでの「ネットゼロ」実現の切り札、とみる人々もいるほどだ。

冷静に考えると、日が落ちたり（太陽光）風がやんだり（風力）すると発電できない間欠性の高い再エネ火力（再生可能エネルギーを電源燃料とする火力発電）には、バックアップとして化石燃料を電源燃料とする発電所が必要だ。また、われわれの日常生活のあらゆる製品にまんべんなく使用されているプラスチックの製造は、石油化学に依存せざるを得ない。

さらに、普通乗用車はEV化できるが、トラックやバスなどの大型重貨物輸送には軽油が不可欠だ。飛行機や船舶も、それほど大型の電池を積んで移動することはできない。どうしてもエネルギー密度（単位体積あたりのエネルギー量）の高い石油に依存せざるを得ない部分が残るのだ。

もちろん、そもそも電力では賄えないほどの高熱を必要とする鉄鋼、セメント、紙パルプ産業などにも化石燃料は必要とされ続けるだろう。

これらに対して「グリーン水素」（非炭素電源燃料で発電された電気を使い、水を電気分解することで生産される水素）なら対応できるのは事実だが、いつになったら技術的・経済的に実用化されるのか、皆目見当がつかないのが現状だ。

このように、将来的にもエネルギーミックスのなかに、CO_2を排出する化石燃料をある程度は織り込まざるを得ないのだ。ゆえにＣＣＳが重要だ、というわけだ。

CO_2は、回収し輸送することも技術的・経済的難題だが、最大の課題は貯蔵である。膨大な量のCO_2を、大気に漏れないように安全に貯蔵するのに適しているのは、枯渇した石油ガス田だ。なぜなら枯渇した石油ガス田は、何十万年ものあいだ油ガスを密閉してきた地層だからだ。

アメリカには、風力や太陽光を有効に使用できる大地があり、ＣＣＳに最適な枯渇した油ガス田が豊富に存在している。これは圧倒的に有利なアドバンテージである。

バイデンが掲げた気候変動対策法案は、石炭産出州であるウェストバージニア州選出の民主党マンチン上院議員がいるため、50対50の議員構成の上院通過が困難で、結局は何ひとつ実現できないのではないか、と危惧されていた。たとえば２０３５年までの電源燃料完全脱炭素化であり、２０３０年までのCO_2排出量50〜52％削減である。

バイデン政権は２０２１年７月、３兆５０００億ドル規模の気候変動・社会保障関連歳出法案である「ビルド・バック・ベター法案」を発表したが、予算規模を縮小したものの党内調整に失敗し、マンチン上院議員の反対声明で挫折していた。

ところが2022年7月末、マンチン議員も合意する内容の法案がまとまり、上下院を通過。8月16日にバイデン大統領が署名し「インフレ抑制法」として成立した。気候変動対策や低炭素エネルギー関連に、3690億ドルが充てられる内容となっている。

エネルギー業界にとっては、条件つきであるもの、CCSや太陽光パネルや風力タービンなどに巨額の補助金や税控除が適用されることになり、低炭素エネルギー分野への投資が本格的に行われる見通しがつくものとなった。

クリーンエネルギーを専門とするコンサルタントの分析では、もし同法案がなければ2030年までに2005年対比24～35％の削減しかできず、バイデンが掲げた50～52％実現は不可能と見られていたが、この法律により31～44％削減の見通しとなり、バイデンの目標に大きな一歩を踏み出したことになる、とのことだ。

また、気候変動対策を法制化したことにより、大統領令ではひっくり返すことができず、次の2024年の大統領選で共和党が勝利しようとも、大きな流れは変わらないだろう。なぜならアメリカは、既存法の改正には上下院で3分の2以上の賛成が必要だからだ。

アメリカは再び、気候変動問題でも世界のリーダーたらんと行動してくるのではないだろうか。

第4章

「エネルギー百年の計」を着実に進めるしたたかな中国

国よりも目の前の利益を最重視する中国人

ロシアが「特別軍事作戦」と称してウクライナに侵攻したことを中国は、これまで一度として非難していない。

たとえば、侵攻直後の2022年3月3日、国連総会でロシアへの非難決議が審議された際、中国は棄権した（賛成141、反対5、棄権35）。さらにウクライナの首都キーウ近郊のブチャで多数の市民が虐殺されたことが判明し、同年4月7日の国連総会でロシアの非人道的行為を非難、同理事会の理事資格を停止する決議に際しては、中国は反対票を投じている（賛成93、反対24、棄権58）。

逆に中国は、G7を中心とする国々がロシアに対してさまざまな制裁を課していることを糾弾し、ロシア寄りの姿勢を鮮明にしている。

ただし、ベラルーシや北朝鮮、あるいはシリアなどのようにロシアべったりではない。たとえば、中国が世界の経済地図を書き直すべく推進している一大プロジェクト「一帯一路」にともなうロシアへの投資は、2022年上半期はゼロだったと報じられている。これも明らかに、中国はロシアと一線を画しているということを示しているといえよう。

では中国は、一体全体、何を考え、どこへ進もうとしているのだろうか。

この難題を考えるため、まず筆者が四十数年前、香港大学で中国語を勉強していたときのささやかな経験を紹介することから始めてみよう。中国人の思考回路がどういうものなのか。そこから、読者の皆さんも何となく理解できるのではないだろうか。

１９７６年10月、「新中国」建国を領導した初代国家主席毛沢東《もうたくとう》が逝去してほぼ１カ月後、「四人組」が逮捕された。

「四人組」とは、文化大革命を推進した毛沢東主席夫人の江青《こうせい》らを中心とするグループのこと。江青の他、副主席の王洪文《おうこうぶん》、政治局員兼副総理の張春橋《ちょうしゅんきょう》、政治局員の姚文元《ようぶんげん》と中心人物が４人いたので「四人組」と呼ばれた。江青は毛沢東の妻という立場を利用し、政敵を倒し勢力を広げ、毛沢東死後の政権を奪取しようとたくらんでいたのである。

その「四人組」を打倒したと発表したのは華国鋒《かこくほう》総理だ。華国鋒は、毛沢東により周恩《しゅうおん》来《らい》総理（１９７６年1月逝去）の後を継いで総理代行、次いで正式に総理に指名されていた。

華国鋒の演説の模様は、香港でも傍受できたテレビ放送で見ることができた。

当時、筆者が通っていた香港大学に、交換教授として大阪外国語大学（２００７年に大阪大学と統合）から来たＡ教授が在籍していた。韓国人ジャーナリスト１名と日本人６名という筆者のクラスの中国語授業も担当していた。漢字の読み書き授業が始まった３カ月目くらいから、非漢字圏である欧米出身の学生たちとクラスが分けられていたのだ。

A教授は、在香港の中国人たちとも付き合いがあった。当日、華国鋒の演説を、中国人の友人たち数人と一緒にテレビで見ていたそうだ。ところが華国鋒の北京語は訛りが強く、A教授は演説内容がほとんど理解できなかったという。

テレビで演説を聞きながら、隣にいた中国人に「わかるか？」と聞いたところ、友人はもちろん「わかる」と答えた。もうひとり、反対側に座っていた友人にも同様に聞いたところ、やはり答えは同じだったという。

「中国が好きで、中国人が大好きで、30年以上も中国語を勉強しているのに、どうして私にはわからないのだろうか？」

A教授は、意気消沈してしまった。

ところが、テレビ放送が終わったあと、A教授が友人たちと夕食を囲んで、これから中国はどうなるのだろうかと話していたときのこと。ある重要な論点で、右に座っていた友人と左に座っていた友人の理解が、まったく異なっていることが判明した。「華国鋒はこう言った」「いや、そうは言っていない。こう言ったのだ」と大論争になったという。

翌日の授業で、A教授はこのエピソードを紹介したうえ、次のように教えてくれた。

中国語とは、あたかも大河を流れる水のようなものだ。水は、川の中央ではゆったりと流れている。だが、岸辺では、岩に当たって水しぶきを上げている箇所もあるし、生い茂る川草のなかで澱んでいるところもある。あるいは、滝となって流れ落ちているところもあるだろう。

水の様相はさまざまだ。だが、川の水は、下から上へ流れることはない。いずれにしても上流から下流に流れているのだ。これが、中国語というものなのだ、と。

筆者は感じ入った。これが、中国語であり中国人なのだ、と。

中国人の思考法は、時間軸が長く、核心には固執するが、細部についてはあいまいであってもこだわることはない――これこそが、前述したエピソードがあった年を含む2年間、香港、台湾で過ごした筆者が理解した中国人の思考法である。

さらに、お金儲けが大好きで、きわめてプラグマティック、国よりも一族郎党、同郷のよしみ、あるいは朋友《ポンヨウ》をこそ大事にする、という点も挙げておくべきだろう。

もうひとつ、台北《タイペイ》時代の思い出にも、少しだけお付き合い願いたい。

筆者は修業生2年目の実務研修で台湾にいるあいだ、三井物産台北支店化学品課に籍を置くかたわら、台湾師範大学で北京語の勉強を継続していた。

ある週末、先生が生徒たちを郊外ピクニックに連れていってくれた。どこかのお寺だったと思うが、記憶は定かではない。その折、他の生徒がそばにいないときを見計らって先生が、筆者に打ち明け話をするように驚くべき発言をしたのだ。

1977年、蔣介石《しょうかいせき》の長男、蔣経国《しょうけいこく》が総統を務めていたころのことだ。当時の政府スローガンは「大陸光復《たいりくこうふく》」だった。中国共産党が支配している中国大陸は、本来われら国民党の支配下にあるべきだ。いつの日か必ず、大陸を含む中国全土をわが手に取り戻す（光復）、というのが台湾政府の最大の政治目的だった。

当然、中国共産党が最大の敵、のはずである。ところが、ピクニック先で中国語の先生はこう言ったのだ。

「われわれは共産党に反対しているのではない。毛一族の支配に反対しているのだ」と。

筆者は心の底から驚いた。そして気がついた。大事なことはイデオロギーではない、実利なのだ、と。つまり、これが中国人なのではないだろうか、と。

では現在、こうした人々が日々、生活している国、中国にとって、プーチンが「特別軍事作戦」と呼ぶ今回の侵略戦争は、どのような意味を持つものなのだろうか。そして、それが中国のエネルギー政策と、どのように関係してくるのだろうか。

中国はすでに「プーチンの戦争」後を見据えている

ロシアの前身、ソ連（ソビエト社会主義共和国連邦）は中国建国当初、いわば兄貴分だった。毛沢東共産党が内戦に勝利し、蔣介石国民党を台湾に追い出し、国家建設を始めたばかりのころは、ソ連からの物心両面にわたる支援がきわめて重要だったのだ。

だが、中国にとって最も大事なことは、自らの運命は自らが決めるという独立国家としての主権維持だった。ゆえに、ソ連が中国を自らが主導する国際経済分業体制の一角に組み込もうとすると、これを拒否し中ソ対立に発展したのである。１９６０年代のことだ。以来、中国とロシアは反米では一致するものの、基本的につかず離れずの関係を続けてきている。

その間、ソ連解体によるロシア誕生があり、鄧小平《とうしょうへい》による開放改革の成功から中国の経済的台頭があり、いまでは中国がＧＤＰでロシアの約10倍、軍事費でも約４・５倍の規模を誇るほどになった。

ロシアは認めないだろうが、中国はもちろん世界の多くの国々が、いまや中国のほうを〝兄貴分〟として見ているのだ。

では、このような歴史的経緯を経て〝兄貴分〟となった中国は、ロシアの「特別軍事作

図表4-1　中国のエネルギー需給バランス

	国産量（A）	消費量（B）	A-B	ロシアからの輸入量
石炭（EJ）	85.15	86.17	**▲1.02**	1.46
石油（1000BD）	3,994	15,522	**▲11,528**	**1,663** （8億2800万t）
天然ガス（10億㎥）	**209.2**	378.7	**▲169.5**	13.8

2021年、太字は筆者計算

戦」にどのように対応しているのだろうか。

中国は、Ｇ７などが依拠している「国連憲章に代表される戦後国際秩序」なるものに、必ずしも完全に同意しているわけではないだろう。だが、ロシアのように、あからさまに挑戦することが国益に合致しているとも考えていない。いわば、両睨みで「プーチンの戦争」終了後を見据えているのである。

筆者がこのように判断している理由の１つは、いまや世界最大のエネルギー消費国で、石炭こそ自給できるが原油、天然ガスは輸入に依存せざるを得ない中国にとって、ロシアは現在も将来も、原油および天然ガスの重要な供給国だという事実があるからだ。

ちなみに「ＢＰ統計集２０２２」によると、中国の２０２１年エネルギー需給バランスは図表４-１のようになっている。

石油は約１１５０万ＢＤ（日産バレル）の輸入ポジション

で、うち１６６万ＢＤをロシアに依存。

天然ガスは１６９５億㎥（ＬＮＧ換算約１億２４６０万ｔ）の輸入ポジションで、ロシアからの輸入量は１３８億㎥（ＬＮＧ換算約１０００万ｔ）。

ちなみにほぼ全量が輸入ポジションの日本の２０２１年消費量は、石油が３４０万ＢＤ、天然ガスが１０３６億㎥（ＬＮＧ換算７６００万ｔ）である。

このデータでは、中国のロシア依存度は石油で11％、ガスが３・６％となっている。だが、ガスはまだまだロシアからの輸入量が増えるのは確実だ。環境問題への対応もあり、石炭からガスへの転換を急いでいるからだ。

現在の輸入の中心である「シベリアの力」と名づけられたパイプラインでの供給は、２０１９年末に始まったばかりで、２０２０年は41億㎥（ＬＮＧ換算３００万ｔ）、２０２１年は76億㎥でしかなかった。だが契約上、２０２５年の設備総完成時には３８０億㎥（ＬＮＧ換算約２８００万ｔ）にまで増加することとなっている。

さらに、プーチン大統領は２０２２年２月４日、冬季北京オリンピック開会式に出席するとともに習近平国家主席と首脳会談を行った。その際、詳細はまったく不明だが、中国極東地域に新たに１００億㎥／年の天然ガス（ＬＮＧ換算７３５万ｔ）を供給する契約が調印されたという。さらに数年前から、モンゴル経由の「シベリアの力２」パイプライン計画も進められている。

なお、首脳会談後に発表された両国の共同声明には、ウクライナ国境沿いに10万人を超えるロシア兵を送り込んでいたロシアとの友好関係に「制限はない」し「タブーもない」と盛り込まれていた。

このような状況にあるからこそ、いまは白か黒か、立場を明確にすることなく、その時々に応じた政治判断をしているのだろう。


このように、中国は核心を見落とさず、細部では柔軟性を維持しつつ、慎重かつ大胆に国際情勢に対応している。

いくつか例を見ていこう。

たとえば、ウクライナ侵攻直後の2022年3月、大手国際石油のBP、シェルあるいはエクソンなどが、ロシア事業からの全面撤退を次々に発表した。多くの人が、中国がこれらの資産を安値で買いにくるだろうと読んでいた。

ところが中国政府は、SINOPEC（中国石油化工）、CNPC（中国石油天然ガス）およびCNOOC（中国海洋石油）の国有三大石油会社幹部を集め、「慌ててロシア資産購入に動かないように」と釘を刺したと報じられている。

機が熟すのを待とう、というのだろう。

あるいは、第2章で説明したように、EUはロシアからの原油を2022年末から原則輸入禁止としたが、それ以前の2022年春から多くのヨーロッパ諸国・企業が「レピュテーションリスク」を考慮し、引き取り自粛を始めていた。

こうしてヨーロッパへの販売が細り、新たな販路を求めたロシアは、バルト海や黒海から海上出荷のウラル原油の大幅値引き販売を余儀なくされてしまう。これに対し、インドは大っぴらに「安いから買う」としたが、中国は小規模民間企業には購入をさせているが、国有企業には変わらず自制させていたのだ。

もっとも中国の国有石油は、従来から購入している日本海に面したナホトカ近郊のコジミノ港出荷のESPO（East Siberia Pacific Ocean）原油に関しては、割引価格での購入を増やしている。これならレピュテーションに影響が出ることはない、と読んでいるのだろう。

ちなみにESPO原油などアジア出荷原油について、日本は購入を自粛している。二大石油会社であるENEOSと出光興産がこぞって「これ以上引き取りを行わない」と発表しているのだ。

中国と日本のエネルギー計画の決定的な違い

筆者の前作『超エネルギー地政学　アメリカ・ロシア・中東編』（エネルギーフォーラム社、2018年）には陽の目を見ていない原稿がいくつかある。その1つが「中国編」だ。

執筆を進めていた2017年1月、中国は2016年から2020年までのエネルギー政策の基本を定めた「エネルギー発展第13次5カ年計画」（「エネルギー13・5計画」、あるいは「13・5」））を発表した。

これを読んで筆者は、これこそが「基本計画」だ、と膝を打った。のちに詳述するが、わが国の「エネルギー基本計画」とは雲泥の差なのだ。

2016年12月26日付で国家発展改革委員会、および国家エネルギー局から、各省、自治区、直轄市発展改革委員会などに出された「通知」、および「住友商事グローバルリサーチ」が2017年2月3日に発表した「中国　エネルギー第13次5か年計画について」によると、「13・5」の定量的要点は次のようになっている。

・一次エネルギー消費量：2015年には43億TCE（標準炭換算トン＝Ton Coal Equivalent）だったが、2020年は50億TCEを上限とする（以下、同じように2015

年実績と2020年指標を記す。なお1TCE＝0・7TOE〈石油換算トン〉との注釈あり）

・一次エネルギーの生産量：36・2億TCEから40TCEに増加する（自給率84％→80％以上）

・石炭生産量：37・5億t原炭だったものを微増の39億t原炭を上限とする

・石油生産量：2億tを維持する

・天然ガス生産量：1346億㎥（うちシェールガス48億㎥）から2070億㎥（うちシェールガス300億㎥）に増やす

・一次エネルギーに占める石炭の比率：64％から58％以下に下げる（必ず達成すべき拘束性目標）

・一次エネルギーに占める天然ガスの比率：6％から10％に増やす

・一次エネルギーに占める非化石エネルギーの比率：12％から15％に増やす（拘束性目標）

・GDP単位あたりのエネルギー消費量：2015年対比15％削減する（拘束性目標）

・GDP単位あたりのCO_2排出量：2015年対比18％削減する（拘束性目標）

まず指摘しておきたいのは、一次エネルギー消費量の目標値に対し、石炭、石油、および天然ガスの国産目標を掲げ、バランスは輸入に依存することを明確にしていることだ

（ただし、エネルギーミックスについては大枠を示すにとどまり、よってそれぞれの輸入量がどうなるかは情勢次第としている）。

さらに、前出の要点に「拘束性目標」とあるように、5カ年の期間内に達成することをいわば「義務」としている項目がある。

当然、当該「エネルギー13・5計画」は「エネルギー12・5計画」の達成度を評価し、結果を記載することから始まっている。そのうえで、前述したような「13・5」としての具体的目標を記載しているのである。

また、5カ年計画最終年の「一次エネルギー消費量」目標が示され、それに対する国産供給量目標が掲げられている。「13・5」では、一次エネルギーの国産量は約10％増加するが消費量が約16％増えるため、自給率は84％から80％以上に下がるとしていた。それを踏まえたうえで、一次エネルギーを支える主要燃料ごとの目標を記しているのである。

わが国の「エネルギー基本計画」は、根拠となる「エネルギー政策基本法」も、第1次から第6次に至るこれまでの「エネルギー基本計画」も、次の基本計画策定までのおよそ3年間で何をどうするのか、具体的目標はまったく記載されていない。

定量目標がなく、定性的方向性が示されているだけなのだ。当然、前計画の定量的レビューもまったくない。

これに対し中国の「エネルギー5カ年計画」は、具体的数値に基づく最終年の達成目標を掲げ、期間終了時には定量的レビューを行う仕組みとなっている。したがって、計画策定ならびに実行責任者の評価も、できるようになっているのだ。

レビューと目標に見え隠れする中国の思惑

2021年から2025年までを対象とする「エネルギー第14次5カ年計画」（「14・5」）は、『「十四五」現代エネルギーシステム計画』と題され、2022年3月に発表された。当該計画は「中国国民経済と社会発展第14次5カ年計画と2035年長期目標要綱」に基づき作成され、エネルギー発展の方針、主要目標、および任務施策を示している。

この「14・5」については、邦文での解説がほとんど出ていない。「13・5」のときには、先に引用した住友商事グローバルリサーチのみならず、三井物産戦略研究所も同様の解説記事を発表していた。だが、残念ながら今回は、日本の主要調査機関も直接的には触れていないようだ。

中国のエネルギー情勢分析で、筆者が最も信頼しているJOGMEC調査部の竹原美佳氏もまた、「中国、LNG長期契約ラッシュとエネルギー14次五か年計画に見る天然ガスサプライチェーン強化戦略」（2022年6月2日、竹原論文）で、「『エネルギー14次五か年計画』に見る中国の天然ガス戦略」として、30ページのうち2ページを割いているだけだ。

皆さん、ウクライナ問題でお忙しいのだろうか。

筆者が読んだ限り「14・5」は、たしかに竹原論文にもあったように「多分に理念的」というのが正しいだろう。

おそらく、コロナ禍により「グリーン化」「エネルギー移行」のスピードが、どこまで出せるのかが不透明になったのだろう。すでに対外的に誓約しているCO$_2$排出量ピークを2030年前までには達成し、排出ネットゼロを2060年までに達成するとの目標は維持しつつも、その過程においてはフレキシビリティを確保したいという意向の表れではないだろうか。

それでも中国は、きちんと「13・5」のレビューを行うところから始めている。記載されている実績数値を、拙い筆者の翻訳で次ページの図表4-2にまとめてみた。

竹原論文によれば、「14・5」ではエネルギー安全保障の観点から国産エネルギーの増産を目指すとし、断片的ではあるが次のような具体的目標が明記されているという。

図表4-2　中国のエネルギー計画達成度レビュー

指標		2015年	2020年	年平均／累計
エネルギー総消費量（標準石炭億トン）		43.4	49.8	2.8%
エネルギー消費構成比率（%）	石炭	63.8	56.8	(-7.0)
	石油	18.3	18.9	(0.6)
	ガス	5.9	8.4	(2.5)
	非化石	12.0	15.9	(3.9)
一次エネルギー生産量（標準石炭億トン）		36.1	40.8	2.5%
発電設備容量（億KW）		15.3	22.0	7.5%
	水力	3.2	3.7	2.9%
	石炭	9.0	10.8	3.7%
	ガス	0.7	1.0	8.2%
	原子力	0.3	0.5	13.0%
	風力	1.3	2.8	16.6%
	太陽光	0.4	2.5	44.3%
	バイオ	0.1	0.3	23.4%
西電東送能力（億KW）		1.4	2.7	13.2%
石油・ガスパイプライン（万km）		11.2	17.5	9.3%

・原油　２０２０年３８０万ＢＤ→２０２２年４００万ＢＤ：これを長期安定化する

・ガス　２０２０年１９３０億㎥：２０２５年に２３００億㎥に増産する

・石炭　国際的非難を避けるため数値目標なし

・発電容量　２０２０年22億ＫＷ→２０２５年30億ＫＷ（２２００ＧＷ、３０００ＧＷ）

・ガス貯蔵能力　２０２０年は目標１４８億㎥に対し２３０億㎥＝２０２５年には５５０〜６００億㎥→拡充（消費量の13％程度）

・非化石燃料（再エネ、原子力）２０

20年15・9％＝2025年20％↓2030年25％
・GDP単位あたりのエネルギー消費量　2025年、2020年比マイナス13・5％
・電源に占める再エネ・原子力発電容量　2020年43％（9・6億KW）↓2025年39％（11・7億KW、うち水力3・5億KW、原子力0・7KW）

竹原論文では「石炭は数値目標なし」となっているが「14・5」には、2025年の一次エネルギー生産目標は「46億石炭標準トン以上」と記載されている。これらの数値を使って、石炭の数値目標や一次エネルギーに占める構成比率を算定しようとしたが、残念ながら到達できなかった。

最大の難関は、これまで掲げていたGDP目標が示されていないことだ。「14・5」が根拠としている『中国国民経済と社会発展第14次5カ年計画と2035年長期目標要綱』（『長期目標要綱』）にも記載されていない。

経済産業研究所の関志雄氏によれば、GDP目標は「12・5」では「年率7％」、「13・5」では「6・5％以上」と明記されていた。だが、「14・5」が根拠としている『長期目標要綱』では、「『合理的範囲を維持、状況に応じて毎年提出する』という表現にとどまっている。高まる不確実性に対処する余地を残すために、5年間の平均成長率の目標を設定していないのである」とのことである。

このようにＧＤＰ目標も石炭の生産目標も示していない意図は、どこにあるのだろうか。

思い起こせば２０２１年11月、イギリスのグラスゴーで開催されたＣＯＰ26（Conference of the Parties for United Nations Framework Convention on Climate＝第26回国連気候変動枠組み条約締結国会議）で、「グラスゴー気候協定」の最終文言策定作業が煮詰まった段階で、中国はインドとともに石炭火力完全停止を導きかねない文言を修正させた。

具体的には「排出削減の策を講じていない石炭火力のフェーズアウト（段階的に廃止）」との文言を「フェーズダウン（段階的に縮小）」に変更させたのだ。最後の最後に不本意な修正を余儀なくされたため、涙を浮かべながらグラスゴー気候協定の採択を宣言したアロック・シャルマ議長（イギリス人）の苦渋の表情が印象的だった。

やはり中国は、国際的非難を呼びかねない石炭の一次エネルギーに占める構成比率がわかるようなデータは、出したくないのだろう。

10年で14倍も増えた天然ガスの輸入量

前述したように中国は、２０２１年において石油が１０００万ＢＤ以上、天然ガスも１

700億㎥（LNG換算1億2500万t）以上、輸入が必要なポジションだった。約10年前の2010年には、石油が500万BD以上、ガスは消費が少なかったこともあり124億㎥（LNG約910万t）強の輸入ポジションにすぎなかった。ガス需要が急増していることが、いやでもわかる展開だ。

2010年から2021年という約10年のあいだに中国は、GDPで日本を抜き去りアメリカに肉薄するようになった。

中国の、この目覚ましい発展を支えたのはエネルギーだ。国産量も増加しているが、何といっても輸入量の拡大が大きく寄与していると言えるだろう。

さらには原油の輸入量では、アメリカも凌駕《りょうが》し世界最大の輸入国となった。図表4-3にあるように、約10年間のあいだに3・5倍に増えた天然ガスの消費を支えたのは、14倍に増加した輸入だったことが特筆されるだろう。

おさらいになるが、天然ガスは気体であるため液体である石油と異なり、効率的輸送、および貯蔵のために特別なインフラが必要だ。これらのインフラ整備には、巨額の初期投資を要する大型プロジェクトを立ち上げなければならない。当然、売主である相手国との交渉も必要だ。相手国との交渉により供給保証を勝ち取り、そのうえで巨額の初期投資を実行して、初めて長期的供給源を確保できるのである。

図表4-3　中国の石油、天然ガスの消費量、国産量のバランス推移

	指標	2010年	2021年	21／10（%）
石油	消費量（1000BD）	9,435	15,522	164.5
	国産量（1000BD）	4,077	3,994	98.0
	バランス（1000BD）	5,358	11,528	215.2
ガス	消費量（10億㎥）	108.9	378.7	347.7
	国産量（10億㎥）	96.5	209.2	216.8
	バランス（10億㎥）	12.4	169.0	1,362.9

BP統計集2022から筆者作成

図表4-4　アメリカ、中国、インド、日本の原油輸入量の推移

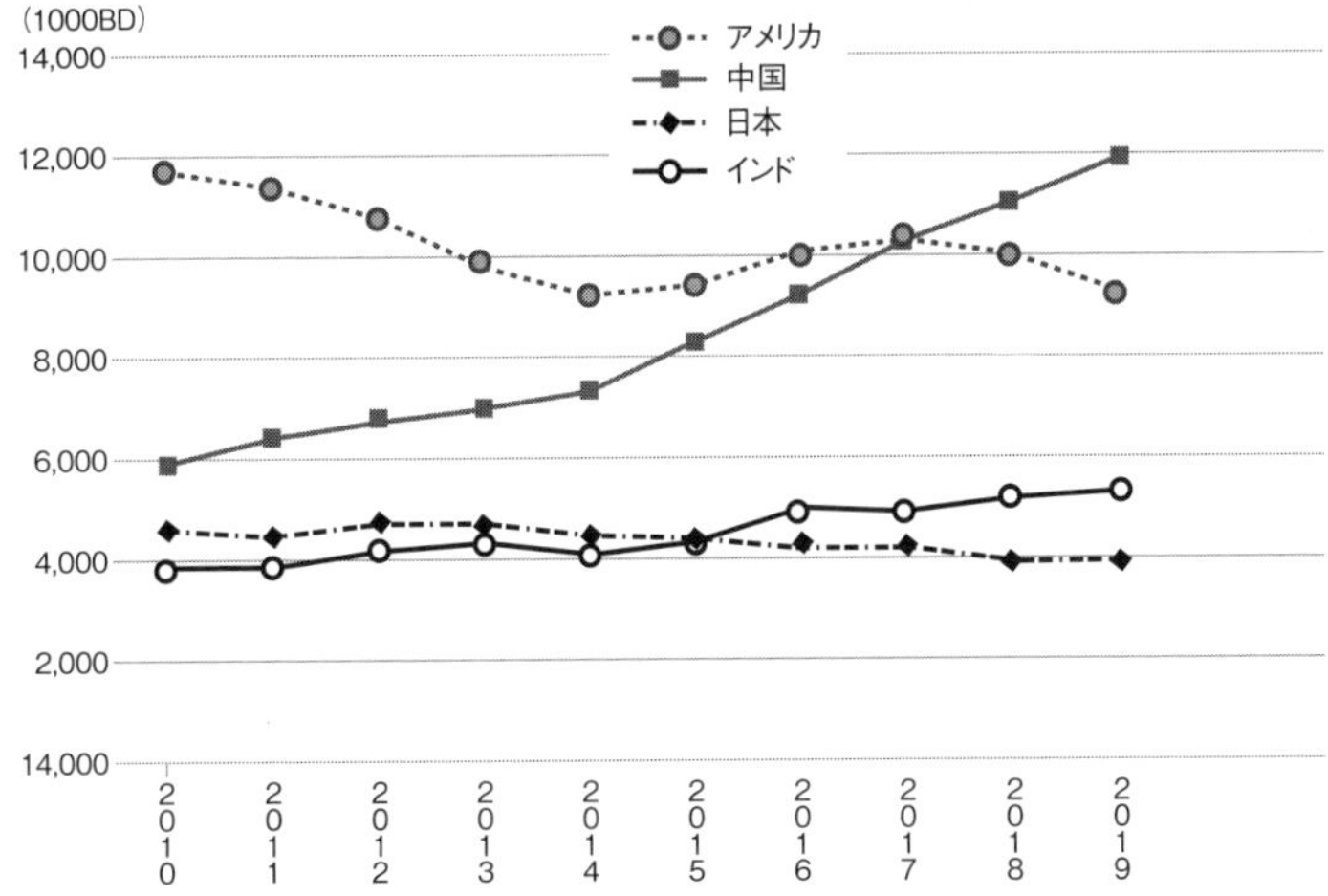

出典：JOGMEC

知られざるガス大国トルクメニスタンと中国

トルクメニスタンは、西側でカスピ海に面してはいるものの南西はイラン、北はカザフスタンとウズベキスタン、そして東南はアフガニスタンに囲まれた内陸国である。長いあいだソ連を構成するソビエト社会主義共和国連邦の一員であり、ソ連の完全なる支配下にあった。いわば、ソ連が心臓として機能する世界分業体制の一歯車にすぎなかったのだ。

そのトルクメニスタンには、実は豊富な埋蔵量を持つ天然ガスがある。だが、ソ連時代は同国のパイプラインを通じてウクライナ経由、ヨーロッパへ輸出するしか販売ルートがなかった。それどころか、ときにはソ連政府の意向で輸出が完全に止まってしまうこともあったのだ。それでも、トルクメニスタンは何もできなかった。

１９９１年にソ連が崩壊し、トルクメニスタンは独立。旧ソ連、つまりロシアの支配を逃れんと、国連総会で承認を得た世界唯一の「永世中立国」となっている。

一方で、豊富な天然ガスを自らの手で販売することを希求していた。だが、ソ連時代のロシア所有のパイプラインに代替する販売ルートは確保できなかった。

当然、外資はこの国の豊富な資源の可能性を追求する。たとえば、トルクメニスタン独立直後の１９９０年代前半、米大手石油会社シェブロンに買収される前の米独立系石油会社ユノカルが、三井石油開発に共同開発構想をもちかけてきたことがある。トルクメニスタンでガス開発を行い、アフガニスタン経由のパイプラインを敷設してパキスタンに販売するという計画である。

パキスタンの内需を上回る生産量となった場合には、パキスタンの海岸沿いにＬＮＧ輸出基地をつくることも視野に入れていた。だが、アフガニスタンが内戦状態に陥り、とてもパイプラインを敷設できるような環境になく、この話は立ち消えとなった。

また、筆者がイラン三井物産に勤務していた１９９７年、物産本社が立ち上げた「カスピ海周辺事業開発ミッション」の一環としてトルクメニスタンを往訪したことがあった。トルクメニスタンには、まだ事務所を開設しておらず、事前調査ミッションである。

本社の指示で、イラン三井物産社長だった筆者のみならず、トルコ三井物産社長、およびアゼルバイジャンのバクー事務所長がミッションに加わった。

トルクメニスタンでは、副大統領以下が応対してくれた。ミッション団長は長いあいだソ連貿易に従事していたロシア語の達人だった。トルクメニスタンの要人はほぼ全員、ロシアで教育を受けていた。当然、会談はロシア語で行われた。

会談で副大統領が質問した。

「三井物産は、まだわが国の首都アシガバードに支店を開いていないが、どこがコンタクトポイントになるのか？」

ミッション団長はバクー事務所長を指さし「彼が担当します」と答えた。すると副大統領は「どこでもいいが、モスクワだけはやめてくれ」と返したのだ。ロシアの軛《くびき》から逃れたいとの強い思いが伝わってきたのを、いまでもよく覚えている。

ここでトルクメニスタンのガス事情を「ＢＰ統計集」に基づいて概観しておこう。２０２１年の統計は次のようになっている。

・埋蔵量：４８０・３ＴＣＦ（13・４兆㎥、２０２０年）
・生産量：７９３億㎥
・国内消費：３６７億㎥
・輸出：中国３１５億㎥、ロシア１０５億㎥

注目は埋蔵量だ。なんと、可採年数は約１７０年。ちなみに１ＴＣＦ（Trillion cubic feet＝兆立方フィート）とは、１００万ＫＷ（１ＧＷ）の発電所に20年間供給できる量である。

こうした自国産ガスの販路を求めていたトルクメニスタンに救いの手を差し伸べたのが

図表4-5　トルクメニスタンの天然ガス輸出量推移

相手国	2005年	2006年	2007年	2008年	2009年	2010年	2011年	2012年
ロシア	39.5	41.0	43.2	42.3	11.8	11.0	11.0	9.9
イラン	5.8	5.3	8.0	7.0	7.0	8.0	8.0	9.0
中国	0	0	0	0	0	3.9	13.0	21.3

中国だった。２００７年７月に長期販売契約を締結し、長距離パイプライン建設にも合意。２００９年12月からガス供給が始まったのである。

国際協力銀行の遊佐弘美氏の「戦略的な依存関係―トルクメニスタンと中国―」（海外投融資情報財団『海外投融資』２０１３年11月）によると、中国向けガス輸出は図表４-５のように順調に拡大し、トルクメニスタンは初めてロシア依存から脱却できた。

他にも中国は、ミャンマーから山を越えて雲南《うんなん》省昆明《こんめい》までのガスパイプライン、あるいはロシアからの「シベリアの力」パイプラインも確保している。

前述したトルクメニスタンからのパイプラインによるガス供給もここに挙げたパイプラインも、すべて供給先側が「弱い」立場のときに合意されたものだ。そのため、詳細は不明だが、価格等の諸条件は中国側に有利なものとなっている、と業界ではいわれている。

中国流したたかな対ロシア政策

ＬＮＧについても同じように、相手が「弱い」立場のときに契約を締結した。それが、北極海に面したヤマルＬＮＧプロジェクトである。

もともと、ロシアの民間ガス会社「ノバテック」が、フランスの大手国際石油「トタル」と組んで推進していたプロジェクトだった。ところが２０１４年3月、ロシアが国際法に違反する形で強引にクリミアを併合し、さらに同年7月にはウクライナ東部の親ロシア派軍事勢力が、オランダ人など多くのヨーロッパ人を乗せたマレーシア航空機を撃墜。その結果、ロシアは経済制裁を課せられた。

とりわけ90日以上の長期金融取引の停止や、石油分野における資機材、および技術提供が制限されたため、ヤマルＬＮＧプロジェクトは立ち往生を余儀なくされたのである。

そこに救いの手を差し伸べたのが中国だ。

ストップからほぼ1年半が経過した２０１６年4月、中国輸出入銀行と中国開発銀行によるユーロ建て、および人民元建てで総額１２２億米ドル相当の融資が確定し、プロジェクトは前進することができたのだ。

したたかな中国は、これに乗じて29・９％の権益（ＣＮＰＣ20％、政府系投資ファンド「シルクロード基金」９・９％）も勝ち取っている。

「プーチンの戦争」によって、日本政府や日本企業が保持している「サハリン１」および「サハリン２」の権益・資産は、ロシアが新設した会社に一時的に移管されることになった。ＬＮＧが主体のサハリン２は８月に、原油が主体のサハリン１は10月に新会社が設立され、権益保持者は１カ月以内に参画するか否かの回答を求められた。

サハリン２のオペレーター（操業責任者）である英シェルと、サハリン１のオペレーターである米エクソンは参画しないことになった。日本勢は１、２ともに参画する意図をロシア側に伝えた。この間、サハリン２の操業は大きな変化なく続いている。サハリン１は７月以降、生産量が22万ＢＤから１万ＢＤにまで落ち込んだが11月に入って回復途上にある。

サハリン１、２ともに、誰がオペレーターになるかは不明だが、問題はシェル、エクソンなくして、いつまで安定操業ができるかにある。シェルおよびエクソンからの出向者は引き上げてしまったが、その他のスタッフは残っており、部品や資機材も在庫があるため、事故などの不測の事態が起こらない限り、２～３年は大丈夫だろう。

だが、特許を要する部品や資機材は追加輸入が困難であり、不測の事態発生時にはノウハウを持つ旧オペレーター本社からの支援が見込めないため、将来的に大きな支障が発生し、供給停止となるリスクも大きいものと思われる。

日本勢としては、生産停止のリスクなど諸般の事情変化をにらみつつ、最も有利な形での撤退を模索していくことになるのではないだろうか。

第5章

脱石油を目指す「中東の雄」サウジアラビアの復権

変わるサウジと変わらないサウジ

筆者の中東経験は、決して自慢できるものではない。

商社でエネルギーを担当していためぐりあわせで、43年間のサラリーマン人生のほぼ半分、21年間を海外勤務で過ごした。と言うと、ほとんどの人は中東勤務が長かったのだろうと思うかもしれない。

だが、中東勤務はテヘランの2年間しかない。一番長いのがロンドンで二度の勤務で合計9年を過ごした。次いでニューヨークとバンコクの4年ずつだ。

石油取引の中心はいまも昔もロンドンであり、ニューヨークなのだ。

本章の中心となるサウジアラビア経験は一度だけ。某石油会社のK原油部長のお供で、リヤドに2泊、アルコバールに1泊、カフジに1泊してクウエートに抜けるという短期の出張をしたことしかない。

お供といっても、中東、とくにサウジについてはK部長のほうがよく知っていたので、筆者は文字どおり「カバンを持つ」以外に役に立てることなどなく、ただひたすら勉強をさせていただいただけだった。

さらに言うと、出発直前になって筆者のカウンターパートであるS原油部員が同行することになった。フランス語を解するSは、かつてアルジェリアの石油精製工場建設時に2年間ほど、某エンジニアリング会社に出向する形で現地勤務をした経験がある。だから、片言ながらアラビア語も話せた。

かくて筆者は「カバン持ち」のそのまた「カバン持ち」として、無理やり同行させてもらったのだった。

そんな立場であったにもかかわらず、初めてのサウジで強烈なカルチャーショックを受けた。43年間のサラリーマン生活において、後にも先にも出張先から上司に手紙を書いたのは一度だけ。それが、このサウジ出張のときだった。

オイルショックで石油市場が激動しているなか、ニューヨーク勤務から志願してレバノンのベイルートへと転勤した経験のある上司Ｉに対して、どうしてもこの強烈なカルチャーショックを伝えたかったのだ。

サウジ出張のお供をしたK部長は、筆者が手紙を出した上司のＩと同じく、ベイルート勤務の経験がある御仁だった。１９７３年にオイルショックが起こり、それまではオイルメジャーから安価な原油が豊富に供給されることに疑問を抱いたことすらなかった石油会社としても、自ら動く必要性を感じ始めていた。

そこで、商社に頼るばかりではなく、自社で直接、サウジをはじめとする産油国の動静を探るべく、当時「中東のパリ」と呼ばれたベイルートに事務所を開き、K部長も課長時代の何年かを、そこで勤務することとなったのだ。

それから数年しか経っていなかったが、リヤドの様相はすでに大きく変貌していた。このことにK部長が最初に気がついたのは、リヤドのホテルでの朝食のときだったらしい。「サウジのホテルには何もない」と聞いていたが、ビュッフェスタイルのダイニングルームには、豚肉ソーセージこそないものの、その他の食材が豪華に用意されていた。欧米の大都市にあるホテルと比べても遜色《そんしょく》のないラインアップだった。

「昔は、こんなによくはなかったんだけどな」

サウジに向かう道すがら、何度となくかつてのリヤド出張の大変さを口にしていたK部長にとって、筆者に見せたかったリヤドとはまったく異なっていたのだろう。誰に言うでもなく、こう呟いていた。

さらにK部長が驚かされたのは、事前にアポイントを取ってあったとはいえ、国営石油会社「ペトロミン」(当時)の海外販売部長との面談が、ほんの30分も待たされずに始まったことだ。

かつては、アポイントを取ることも一仕事だったうえ、アポを取ってあっても半日待たされるのがフツー。結局会えずに出直すことも多かったとのことだ。

「いやあ、サウジも変わったなぁ」

心づもりより早く終わったからだろうか。K部長はペトロミンに出向している通産省（現経済産業省）勤務の友人の執務室に顔を出す、と言う。地質の専門家とのことだった。

ペトロミンのメインビルの長い廊下を伝ってほぼ裏に回ると、少し離れたところに別棟があった。友人の執務室はそちらにあるとのこと。距離にしてほんの十数mしかないのだが、一度ビルから外に出る必要がある。K部長がスタスタと歩いて向かったので、筆者もあわてて炎天下、後について行った。

暑い。いや違う。焼ける！

「灼熱」という言葉がふさわしい暑さだったのだ。

直射日光が痛い！

駆け込むようにして別棟に入り、エアコンのありがたさを痛感した。

K部長は「プライベートだから」と言い、ひとりで友人の執務室へと入っていった。筆者は、原油部員のSとふたり、よもやま話をして待っていた。

30分ほども待っただろうか。K部長が部屋から出てきた。さて、と。再び灼熱の外気のなかを、ペトロミンのメインビルまで戻らなければならない。

Ｋ部長は今度もスタスタと歩き始めている。Ｓが慌てて後を追う。だが、筆者は後を追えなかった。追いかけたいのだが、体が言うことを聞かない。灼熱の暑さに恐れをなしているのか、最初の一歩が踏み出せない。

Ｋ部長とＳとは、もうメインビルの入口に入ろうとしている。

困った。どうしよう。動けない……。

と、「神」が救いの手が伸ばしてくれた。メインビルの入口そばで待機するように指示しておいた三井物産リヤド事務所の社有車が、どこで聞きつけたのか、別棟のそばにやってきてくれていたのだ。

助かった！

常識がまったく通じない中東の世界

その日の夜、ホテル備品のレターペーパーに思いのたけを書きつけた。上司Ｉへの手紙である。詳しくは覚えていないが、おおよそ次のような内容だった。

初めて出張で来させてもらったサウジの地で、強烈なカルチャーショックに見舞われています。当地、中東では、太陽は悪です。生きとし生けるもの、すべてを焼き尽くす悪の権化です。

これに対し夜の闇は善です。夜露がわずかながら水分をもたらし、砂漠の地に植物が生きるチャンスを与えるのです。女性がアバヤで身を隠すのも、悪を拒否し、善を尊ぶからでしょう。アバヤが黒色であるのも、同じ価値観からではないでしょうか。


太陽は悪で、夜の闇こそが善。

中東の地は、気候温暖で風光明媚な日本とは、180度異なる風土だった。

これは中東素人の筆者が初めて経験した、ささやかな、だが強烈なカルチャーショックでしかない。だから中東がわかった、と言えるものではない。

だが、以来筆者は、われわれの常識がまったく通じない世界があることを、覚悟して生活するようになっていた。

この初のサウジ出張から十数年後、筆者はイランの首都テヘランで2年間勤務した。尾行、盗聴、検閲、牢獄入りを覚悟したこともある、何でもありの大変な勤務だったが、カルチャーショックに怯《おび》えることはなかった。

帰任直前、イラン人総務課長が自宅で送別会を催してくれた。そのとき「実はイラン人スタッフは全員3カ月交代で、邦人スタッフの動向を関係当局に報告するよう命令されている」と聞いた。だが筆者は、そんなこともありうる国だからな、と驚くこともなかった。もちろん、邦人スタッフには申し送りしておいたが。

われわれの常識がまったく通用しない中東、なかんずくイスラムの盟主たるサウジは、はたして今後、どのような方向に進んでいくのだろうか。

プーチンとバイデンで180度違うMBSへの態度

サウジもまた、中国と同じように、今回のロシアによるウクライナ侵攻を一度として非難していない。

これは、何を意味しているのか。

プーチンが「特別軍事作戦」と称してウクライナへの全面侵攻を実行した翌2月25日、アメリカはアルバニアや日本など80カ国とともに、ロシアを非難する決議案を国際連合安全保障理事会（安保理）に提案した。だが、常任理事国ロシアの拒否権発動によって採択されなかった。

そこまでは想定内だった。だが、外交筋が驚いたのは、サウジと外交方針をほぼ同一にしているＵＡＥが、中国やイランとともに棄権したことだ。
ちなみに、この日の各国の投票行動は次のようなものだった。

・賛成：常任理事国＝アメリカ、イギリス、フランス
　非常任理事国＝アイルランド、アルバニア、ブラジル、ガボン、ガーナ、ケニア、メキシコ、ノルウエー
・棄権：常任理事国＝中国
　非常任理事国＝インド、ＵＡＥ
・拒否権行使：常任理事国＝ロシア

ＵＡＥの「棄権」行動があったので懸念されたが、続く3月2日の国連総会における非難決議では、サウジはＵＡＥとともに賛成票を投じた。反対は、ロシア、ベラルーシ、北朝鮮、シリアおよびエリトリアの5カ国のみ。その一方で、中国、インド、イランなど棄権した国が35カ国もあった。

短期間でのキーウ陥落を断念したロシア軍がウクライナ北部から撤退したのち、キーウ近郊のブチャで多くの市民が虐殺されていた事件が明らかとなり、世界中に衝撃を与えた。

図表5-1　国連の対ロシア決議に対する サウジ、UAE、イラン、中国、インドの態度

	サウジ	UAE	イラン	中国	インド
2月25日安保理	―	棄権	―	棄権	棄権
3月2日総会非難決議	賛成	賛成	棄権	棄権	棄権
4月7日総会人権委決議	棄権	棄権	反対	反対	棄権

国連は4月7日、ロシアの人権委員会理事国としての資格を停止する決議案を採決した。サウジはこのとき、UAEとともに決議案に棄権票を投じた。

こうした国連における一連の関連決議に対するサウジ、UAE、中国、インドならびにイランの態度を図表5-1にまとめておこう。この表から、各国のロシアに対する微妙な「立ち位置」の差がうかがえよう。

プーチンは2月24日のウクライナ侵攻後、2022年夏までに二度、サウジのムハンマド・ビン・サルマーン皇太子（MBS）に電話をかけている。

最初は侵攻直後の3月4日、欧米諸国が「制裁」を課し始めたころだ。この電話会議で両国は「エネルギー市場安定」のために「同盟関係強化を図った」と伝えられている。

二度目は米バイデン大統領がMBSらと会談した直後の7月21日のこと。「OPECプラス」の枠組み維持を確認したとさ

れている。

助けを求めるかのようなプーチンからのこの二度の電話を、ＭＢＳがどのような態度で応じたかは報じられていない。だが、ＭＢＳとプーチンは２０１８年６月、サッカーワールドカップロシア大会の開幕戦「ロシア対サウジアラビア」を、モスクワのルジニキ・スタジアムで肩を並べて観戦した仲だ。

王族内のライバルを次々と蹴落として皇太子に昇格し、すでに実質的指導者として国政を差配しているＭＢＳにとって、２０２１年のトランプ退陣後、プーチンは数少ない、海外における理解者のひとりとなった。おそらく二度の電話に対して、「友」としての対応をしたのは間違いない。

これは、米ジョー・バイデン大統領に対するものとは大違いだ。繰り返しになるがバイデンは、大統領選のさなかにＭＢＳを批判し、「サウジを世界のパリアにする」と主張していた。イエメン内戦での無差別爆撃、サウジ国内における数多くの人権蹂躙《じゅうりん》行為、とりわけ在米サウジ人ジャーナリスト、ジャマル・カショギ（アラビア語原音ではハーショクジー）殺害事件を強く非難し、人権無視の国家だと糾弾していたのだ。

大統領に就任後も、自分の交渉相手は元首であるサルマーン国王であって皇太子ではない、としてＭＢＳを相手にしなかったのは、第３章で説明したとおりである。

ところが、プーチンがウクライナに侵攻したことも一因となって油価が高騰し、状況は一変した。11月の中間選挙を控えて、ガソリン価格の引き下げにサウジの協力が不可欠だと考えたバイデンは態度を豹変《ひょうへん》させ、自らMBSに電話を掛けた。ところが、今度はMBSが電話に出ようとはしなかった。

カタールを脅し上げたサウジの野心

王室内の潜在的ライバルを失脚させ、国軍、国家警備隊、そして警察・治安部隊というすべての「暴力装置」をわがものとして、次期国王への道を着々と歩み始めたMBS。その野心は国内にとどまらず、海外での影響力拡大をも目指していた。

2017年6月初旬、UAE、バーレーンおよびエジプトと組んで、カタールと断交し、経済封鎖を実行した。イランや、中東に広がるイスラム組織であるムスリム同胞団に対するカタールの対応がテロを誘発する原因だとして、外交政策の変更を迫ったのだ。

ペルシャ湾岸6カ国からなる、実質対イラン防衛組織である「GCC」(Gulf Cooperation Council＝湾岸協力会議)のメンバーでもあるカタールに対し、同じくメンバーであるサウジ、UAEおよびバーレーンが断交し、経済封鎖をするというのは常識的には理解しがたい行動だった。

このときカタールに突きつけた13項目の要求には、イランとの外交関係の縮小、カタールの衛星放送局「アルジャジーラ」の閉鎖、トルコ軍の在カタール基地閉鎖などが含まれていた。カタール側は、この要求を「主権を制限するもの」として拒否。湾岸諸国の外交は膠着《こうちゃく》状態に陥ってしまったのだ。

結局２０２１年1月、サウジで開催されたＧＣＣサミットの直前、「イランの脅威に対抗するために結束が必要」との理由で国交を回復。経済封鎖を解除することで関係４カ国が合意し、本件は一件落着となった。

一方で、カタールを経済封鎖してから5カ月後の２０１７年11月、「一緒に鷹狩りをしよう」という口実で、レバノンのハリリ首相をリヤドに呼びつけた。だが、イランが支援している国内の武装組織ヒズボラに対する対応が生ぬるいと、テレビカメラの前で「首相辞任」を表明させたのだ。

だが、自らへの暗殺の恐れを辞任理由としていたハリリはレバノン帰国後、大統領に慰留され辞任を保留。のちに撤回して２０２０年1月まで首相を続けた。

ハリリがサウジで当局者に拘束され、辞任表明を強制されたという説がある。一方で、サウジ側はハリリが安全を確保するため、サウジの首都リヤドに滞在しているとした。実際、この「辞任劇」の裏側で本当に何があったのかは不明のままだ。

この2つの「事件」は、MBSの野心が空回りしたかのような結果となった。ただし、いずれにしても、これらの出来事により、MBSが国内のみならず、名実ともにイスラム世界の盟主となることを目指していることが明らかになったといえるだろう。

カショギ事件で変貌した「砂漠のダボス会議」

ところが2018年10月、そうした流れのなか、MBSは大きな判断ミスをしてしまう。前述したように、アメリカに自主亡命したジャーナリストのジャマル・カショギを、イスタンブールのサウジ領事館で殺害させてしまったのだ。

ジャマル・カショギは、サウジ建国の父、イブン・サウド国王の主治医を務めた祖父をもつサウジの名家の一員であり、のちに駐米大使となるトゥルキー・ビン・ファイサル王子のメディア担当を務めるなど、王家に近いジャーナリストだった。

2016年、大統領選を戦っていたドナルド・トランプを批判する記事を書いたところ、サウジ政府からジャーナリスト活動を禁じられたため、同年末、アメリカへ自主亡命した。自らを「愛国者」としていたジャマルは、時折、政府に批判的な記事を書いていたが「反体制派」ではない、と主張していた。

だが、独裁的な振る舞いが目立ち、「報道の自由」に逆行するＭＢＳに反感を強めていたこともあり、このままサウジにいるといつの日か逮捕される、と思っていたのだろう。アメリカで永住権を得ると、『ワシントンポスト』のコラムニストとして定期的に寄稿し、若きサウジの改革者として登場したＭＢＳの統治を思うがまま批判したのだ。彼が書いた記事はアラビア語に翻訳され、多くのサウジ人も目にすることとなった。ＭＢＳから見れば「邪魔者」以外の何物でもない。

やがてジャマルは、アメリカ移住後に知り合ったトルコ人女性と結婚することになった。そこで２０１８年９月末、前妻との離婚証明書を入手すべく、イスタンブールのサウジ領事館に出向いたのである。

ところが、ジャマルの行動はすべてサウジ情報筋に把握されていた。ジャマルは２０１８年９月28日、手続きのために領事館を訪れたが「必要な書類がまだ届いていない」と言われた。指示されたとおり、週明けの10月２日に再び領事館に出向いたところ、そのまま拘束され、殺されてしまったのだ。

この衝撃的な事件は、その後、トルコ筋などから少しずつ真相が明らかにされ、ジャマルは領事館内で殺されたうえ、〝解体〟されてしまったことが明らかになっている。当然、遺体は見つかっていない。

MBS自身は「殺害事件の責任は認めるが、自分は命令していない」と否定しているが、米CIAはMBSの関与を認定している、と報じられた。

かくして、一時はサウジ改革の若い指導者として高く評価されたMBSは、いっぺんに国際社会の嫌われ者になってしまったのだ。

象徴的だったのが、MBS肝いりの「Future Investment Initiative」（未来投資イニシアティブ）と題されたリヤドにおける国際金融会合だった。

2017年10月の初回会合には、IMF（国際通貨基金）のラガルド専務理事、アメリカのムニューシン財務長官、世界最大の資産運用会社ブラックロックのラリー・フィンクCEO、そしてソフトバンクの孫正義CEOなど、世界90カ国の政財界から錚々《そうそう》たるメンバーを含む3800名が集結。MBSは、総額5000億ドルの未来都市「NEOM」プロジェクトをぶち上げた。メディアもこの会合を「砂漠のダボス会議」と持ち上げた。

だが、カショギ事件が勃発した直後の2018年の第2回会合には、前年参加した主だった人たちは誰も参加しなかった。結果、中東とロシアからの参加者が目立つだけの寂しいものになってしまったのである。

「まさかのときの友こそ真の友」

「カショギ事件」直後の２０１８年11月、ブエノスアイレスで開催されたＧ20サミットでも、各国の首脳たちはＭＢＳと距離を置こうとした。「仲良くしている」ように見えることが、政治的に大きなマイナスになると判断されたからだ。就任後、最初の外遊先にサウジを選んだ米トランプ大統領ですら「あいさつはした」が、「その後の話し合いはなかった」と当局者が語るほどだった。

そんななか、ただひとりＭＢＳをハイタッチで迎えた人物がいた。プーチンである。「まさかのときの友こそ真の友」という言葉があるが、ＭＢＳはこのことを決して忘れることはないだろう。

このように、総じて「カショギ事件」の後遺症に悩まされていたＭＢＳに僥倖《ぎょうこう》が訪れた。「プーチンの戦争」である。ロシアがウクライナに侵攻したことも一因となって、世界はエネルギー供給不足に恐れおののくようになった。そのため、世界最大の原油輸出国であり、最大の余剰生産能力を持つサウジに注目が集まったのだ。

まず２０２２年３月16日、英ジョンソン首相（当時）が中東に飛び、リヤドでＭＢＳと、アブダビでＵＡＥ副大統領（当時、現大統領）のムハンマド・ビン・ザイード（ＭＢＺ）アブダビ皇太子と面談し、増産を要請した。

4月28日には、トルコのエルドアン大統領がサウジ第二の都市ジッダを訪問。サルマーン国王およびMBSと面談した。これでトルコの地でサウジの治安部隊が実行した「カショギ殺害事件」をめぐる両国のわだかまりが帳消しとなり、関係修復への第一歩を踏み出したといえる。

そして、7月15日が米バイデン大統領とのジッダでの会談である。その冒頭、バイデン大統領は「カショギ事件」を取り上げたが、MBSは従来同様関与を否定。事件に関する話し合いは平行線だった模様だ。

だが、バイデン大統領としては、とりあえず当座の重要問題を話し合う素地をつくったとし、原油増産を要請。望んだ回答は得られなかったものの「今後数週間で、次のステップが見られることを期待している」と記者団に述べるまでに至った。

アメリカとしては、最低線は維持できた、と感じたようだ。だが、アメリカ側の受け止め方はどうであれ、この会談は外交的にはMBSの勝利と見なされている。時節柄、握手こそしなかったものの、バイデンがMBSとグータッチしている写真が世界中で報じられた。これは、バイデンのカウンターパートはMBSであることを世界に示すものだった。

ちなみに、この光景はサウジ当局以外は撮影を許可されておらず、サウジ側にとってもっとも「好都合」な1枚であることは間違いないだろう。

続いて7月26日「カショギ事件」後、初めてEU加盟国であるギリシャを訪れたMBSは28日、フランスのマクロン大統領とエリゼ宮で夕食をともにした。

さらに8月末、チュニジアで行われる「アフリカ開発会議」に出席予定の岸田文雄《きしだふみお》首相は、サウジも訪れMBSとエネルギー供給問題を話し合うと報じられた。その後、LNG確保を優先してカタールへの立ち寄りに計画変更したようだが、コロナにかかってしまい外遊そのものをキャンセルした。

世界の人権団体は依然激怒しているものの、エネルギー供給という一大事を前に「カショギ事件」は歴史の闇に埋没してしまったのだ。

「プーチンの戦争」が遠因となって、MBSは国際社会における復権を遂げたのである。

サウジの実態は「家産性福祉国家」

復権を成しえたサウジは今後、どのような方向へと向かうのだろうか。それを読み解くためにも、サウジとはどのような国なのか、簡単に振り返っておこう。

現在のサウジ王国の建国は１９３２年だ。イブン・サウド国王がサウジの国教であるイスラム教ワッハーブ派の聖職者と組み、〝剣と婚姻〟で諸部族を服従させ、国家統一を実現して建国したのである。

その後、1992年3月1日に施行されたサウジの憲法というべき「統治基本法」第2章第5条a項（2-5-a）には、改めて「王国の政体は君主制とする」と記された。続いて次のように規定されている（2-5-b）。

王国の統治は、建国の父アブドルアジーズ・ビン・アブドッラハマーン・アルファイサイル・アールサウードの子および孫に委ねられるものとする。

国の統治は、建国の父の血を引くものに限るということだ。つまりサウジアラビアは、文字どおり「サウド家のアラビア」なのである。さらに国家の財産は国家、すなわち国王のものとしたうえで、ご丁寧にも納税免除まで明文化している（4-14、4-20）。

王国内の地中・地表又は領海上ならびに王国の権益が及ぶ全ての富ならびにその富のすべての資源は、法令の定めるところに従い、国家に帰属する。

図表5-2　サウド家の家系図

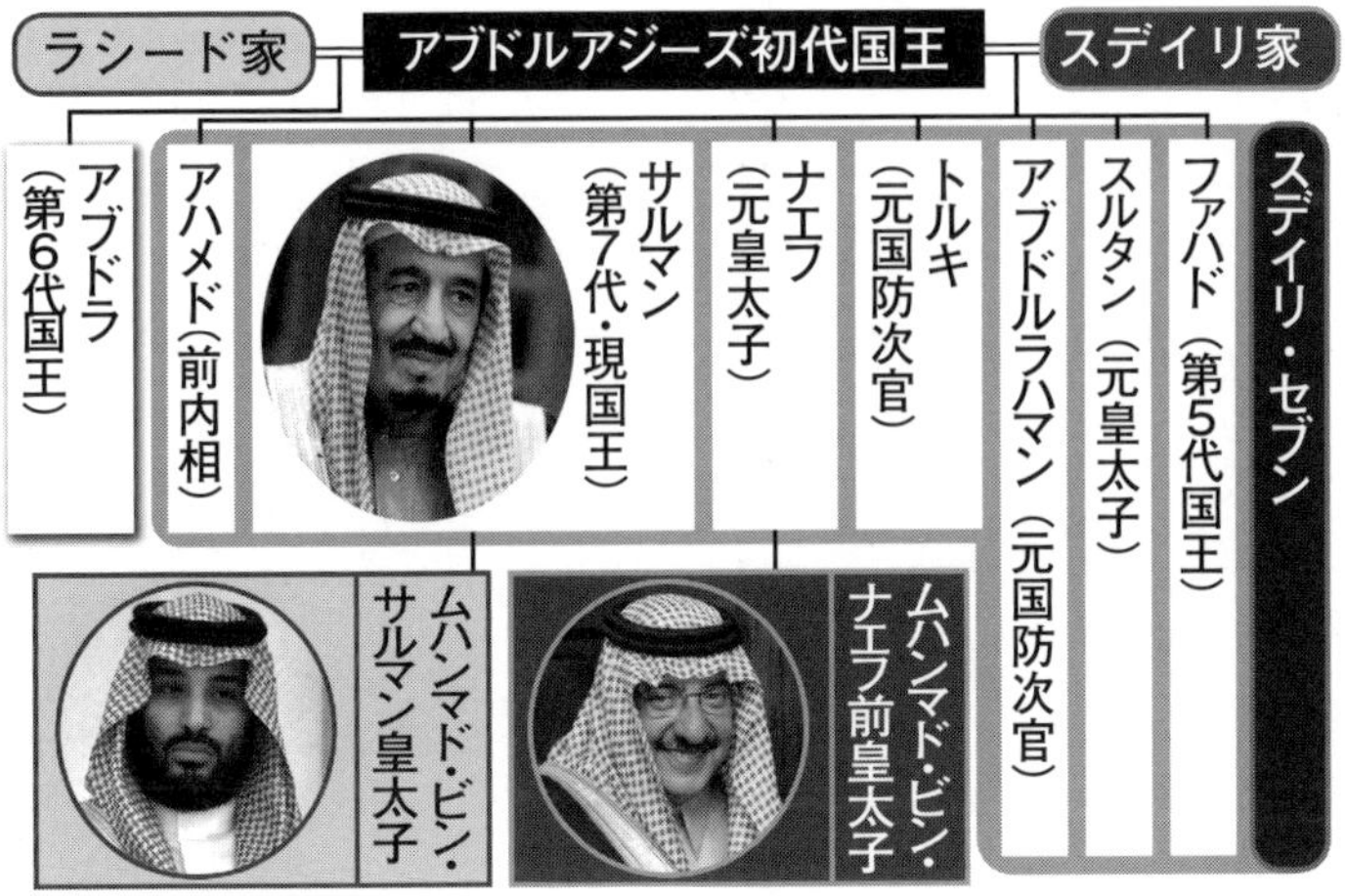

必要性と正当性がある場合以外は、租税公課が課せられることはない。

一方で、国民については次のように規定されている（2-6）。

国民はコーランとスンナの教えに則り、いかなるときも君主に忠誠を尽くすものとする。

統治基本法に明確に記されているように、すべての国家財産はサウド家のもので、国民は国王からのご慈悲を得て生活している、つまりサウジ国民には政治的権利は皆無というのが、サウジの国家の仕組みなのである。

民主主義国家、日本に暮らすわれわれには

なかなか理解しがたいことだが、国の成り立ちがまったく異なっていることがわかるだろう。

一般的には、国家と人民のあいだに「社会契約」があり、人民は政治的権利を国家に委ねる代わりに、国家は人民の生活を「揺りかごから墓場まで」一切の面倒を見ることになっている、と理解されている。

筆者は、これを「家産制福祉国家」と呼んでいる。

サウジを理解するためには、このことをきちんと認識しておく必要があるだろう。

脱石油を目指す「ビジョン2030」の落とし穴

筆者が「家産制福祉国家」と呼んでいる、サウジの国家の仕組みを成り立たせているものは何か。それは、地下に眠る膨大な石油が産み出す国家収入である。

たとえば、2011年から吹き荒れた「アラブの春」は、チュニジアで、エジプトでときの政権を打倒した。スンニ派の多いサウジでも、隣国バーレーンの動きに誘われたように、バーレーンの多数民と同じシーア派住民の多い東部で反政府運動が起こった。だが、すぐに抑え込まれた。力の行使もさることながら、政府が豊富な石油収入を背景に、補助金供与や公務員雇用の増大など国民懐柔策を立て続けに打ち出したからである。

その一方で、世界的な気候変動問題に対する「エネルギー移行」の流れのなかで、サウジはいつまで石油収入に頼った国家統治ができるのかという大問題に直面している。

そこでＭＢＳは２０１６年４月、こうした問題を解決すべく「ビジョン２０３０」を打ち出した。では、はたしてこれで「脱石油」が実現できるのか。実は発表当時から、世界の多くの人が、このビジョンに対して〝希望〟を抱きつつ、実際には〝非現実的〟と見ていた。筆者もそのひとりだ。

なぜなら、そもそも「ビジョン２０３０」には根本的な欠陥があるからだ。

最大の欠陥は、石油に代わる収入源として「投資によるリターン」を想定していることだ。簡単に言えば配当収入である。

ＭＢＳが「投資によるリターン」を実現する機関としている政府系ファンド「ＰＩＦ」(Public Investment Fund＝公共投資基金）の投資先は、いわゆる成長株で、株価値上がりによる大きな「リターン」が期待できるものが多い。

たとえば、流行《はや》りの「ウーバーイーツ」や「テスラ」だったり、２０２０年春に油価が暴落したときには大手石油会社の株を大量に購入したり、はたまたイギリスのサッカーチーム、プレミアムリーグの「ニューキャッスル・ユナイテッド」のオーナーになったりという具合だ。

だが「ビジョン2030」が目指す産業の多様化、つまり石油関連以外の新規産業を国内に誘致する、あるいは築き上げるのに役立つと思えるような投資先はほぼ見られない。

また「リターン」狙いというが、目指すのは石油収入の代替だ。

UAEの日刊紙『The National』の2022年8月7日の報道によると、サウジの2022年の石油収入は前年比66％増の2490億ドルに上ると見込まれているという。逆算すると、2021年の石油収入は1500億ドルだったことになる。

一方、「JETRO」（日本貿易振興機構）によると、2021年の歳入実績は2479億ドルだったから、石油収入が占めた比率は61％になる。

2022年予算の歳入見込みは2787億ドルだ。一方、2022年第1四半期の石油収入は前年同期比58％増の490億ドルだと『The National』は報じている。このままいくと、歳入総額における石油が占める比率は2021年より増加するのは間違いない。

つまり、石油に代替する収入源は、国家予算の6割以上の規模のものでなければならないということだ。これを投資からのリターンで賄うとすると、天文学的な投資資金が必要となる。仮に1500億ドルを目指すと、5％リターンで3兆ドルが必要だ。

資産価値上昇によるキャピタルゲインがあれば別だが、そうでなければ毎年、これくらいの配当が必要となる。ちなみに「ＰＩＦ」の運用資産は現状、５０００億ドル程度である。３兆ドルに増える見通しは、いまのところまったくない。

どう考えても、石油収入を投資で代替するというのは非現実的ではないだろうか。

未来の〝足かせ〟となる偏りすぎの教育制度

もうひとつの問題は、国民の意識改革を目指していないことだ。教育問題についてはまったく触れられていない。

『21世紀のサウジアラビア―政治・外交・経済・エネルギー戦略の成果と挑戦』（アンソニー・コーデスマン、明石書店、２０１２年）によると、サウジの基礎教育は3分の1がアラビア語、3分の1がイスラム教について、残りの3分の1で他の科目をすべて履修するという。

一方、文面から、２０１６年の「ビジョン２０３０」以降にサウジのリヤド日本人学校に派遣され、勤務していたと推測できる上阪浩一氏は、論文「サウジアラビアの教育事情の研究とその考察」において、次のように指摘している。

すなわち「中学校卒業後（略）進学先を決定する（略）試験の内容は、イスラム教とアラビア語の内容に偏っているとされており、理数教育の成果が実っていない」「これまで

図表5-3　サウジアラビアの男子学生の時間割（小・中学校）

	日	月	火	水	木
6：30〜6：45	朝礼				
1 6：45〜7：25	数学	宗教	アラビア語	宗教	宗教
2 7：25〜8：05	宗教	アラビア語	数学	宗教	数学
3 8：05〜8：45	宗教	宗教	英語	数学	アラビア語
8：45〜9：15	休憩（軽食）				
4 9：15〜9：55	宗教	英語	アラビア語	アラビア語	英語
5 9：55〜10〜35	理科	アラビア語	英語	体育	アラビア語
6 10：35〜11：15	英語	英語	体育	社会	英語
7 11：15〜11：55	社会	数学	宗教	英語	美術
11：55〜12：05	お祈り				
8 12：05〜12：45	アラビア語	宗教	コンピューター	理科	美術

訪問してきた学校でも共通して（略）『課題に取り組まない学生（児童生徒）が多い』（略）というジレンマを抱えている」「〝将来に備えて、しんどいことやつらいことに取り組む〟ことよりも〝宗教上の善い取り組み〟ことを優先する部分がある」とのことだ。

そのうえで、上の図表5-3「男子学生の時間割」を紹介している。これは通常コースのもので、宗教（イスラム教）に10コマが割かれているが、イスラム教専門コースでは14コマが割かれているという。なお、女生徒の時間割は不明である。

この時間割によると、小学校6年生男子の通常コースでは、週40コマのうち、アラビア語に8コマでは、宗教（イスラム）に10コマ、合計18コマ（45%）を割いていることになる。

このような基礎教育が続く限り、産業社会を形成する労働者創成は容易ではないだろう。現状は、欧米で高等教育を受けた一部のエリート・テクノクラートが、外国人コンサルタントを使いながら最上級レベルの職務を担っている。一方、いわゆる〝3K〟と呼ばれる職種やマニュアルワーク分野には人口の3分の1以上、1000万人を超える外国人労働者が従事している。

筆者が懸念しているのは、現在不足している中間管理職の育成問題である。サウジ国内産業の多様化、とうたいながら、それを担う人材育成の観点がないのでは「ビジョン2030」は「絵に描いた餅」になってしまうのではないだろうか。

MBSは「王族の知恵」を超えるか

では、どうすれば石油依存を脱却できるのか。それは、やはり石油産業以外の新規産業を育成、拡大することだろう。

「ビジョン2030」も同様の目標を掲げてはいる。たとえば、観光業であり、娯楽産業であり、兵器の国内化比率を高めるための軍需産業であり、先端技術関連である。

だが、海外からの直接投資をどう招くかというのもさることながら、はたして、サウジ国民がそれらの産業に従事するのか、できるのかという人材育成の問題がある。

「ビジョン2030」では、行政サービス部門の民営化もうたわれている。担当大臣が、「一日に1時間しか働かない」と言っている公共部門の従業員を減少させ、民間企業に委ねることで経済に占める民間部門の比率を高めようというのがその目標だ。

では、その「一日に1時間しか働かない」、被雇用者の7割を超えるといわれる公務員に何の仕事をさせるのだろうか。

イスラムの教えとアラビア語の教育に重点が置かれている現在の初中等教育カリキュラムでは、新しい産業はおろか、現存する各種産業をも、外国人の手を借りずに運営していくことは難しいのではないだろうか。

前述したように、人材育成のためには現行教育制度の大幅な改革が必須だ。だが、これが「ビジョン2030」には、まったく盛り込まれていない。なぜなら、ここにも大きな障壁がそびえ立っているからだ。それは、これらの諸課題の根底にある「サウド家のアラビア」という国家体制そのものである。

国家はサウド家のものだから、国家がいかにあるべきかを考えるのは「サウド家」のみであるべき、というのが現行サウジの国是となっている。国民は国王に忠誠を誓う存在なので、自らの頭でモノを考えることを期待されていない。だから、一般国民を実務的処理能力のある人材に育て上げる教育制度は不要と考えているのだ。

今日のようにＭＢＳが君臨するまでは、「サウド家」王族の合議制に基づいて国家運営がなされていた。国軍、警察・治安部隊、および国家防衛隊という３つの異なった「暴力装置」のみならず、貿易、外交、地方政治などは、サウド家２代目ファミリーが分担して担当していた。もちろん、任務の裏返しで、それなりの果実を分け合っていたのだ。

ただし、実はエネルギー分野だけは長いあいだ王族にではなく、優秀なテクノクラートに任せていた。国庫収入の大半を占める石油・ガス分野を誰かひとり、あるいはどこかの一ファミリーのみに任せてしまうと、王族内に不和が生ずると考えていたのだろう。あるいは、間違った判断をした場合に、王族メンバーでは「クビにできない」という実務的な理由もあったのかもしれない。

参考までに歴代の石油大臣を列記しておこう。見ればわかるとおり、２０１９年にアブドラアジーズ・ビン・サルマーン王子（ＡＢＳ）が就任するまでは、一貫してテクノクラートがその任に当たってきたのだ。

1955〜1960　新設「石油鉱物局長」にタリキ就任
1960〜1962　「石油省」を新設し石油大臣にタリキが昇格（OPEC創設時）
1962〜1986　ヤマニ（二度のオイルショック）
1986〜1995　ナーゼル
1995〜2016　ナイミ
2016〜2019　ファーリハ（現投資相）
2019〜　ABS（MBSの異母兄）

このように、「王族の知恵」で長いあいだテクノクラートに任せていた石油大臣に、2019年9月、なぜ王族の、しかも現国王の実子を任命したのだろうか。理由が語られることはない。

解任されたファーリハは、「サウジアラムコ」のCEOを長年務めた優秀なテクノクラートで、石油相退任後は保健相などを歴任し、現在、海外からの投資を呼び込む役割を担う投資相に就任している。

筆者は、潜在的ライバルを一掃し、権力をわが手に集めたMBSが、国庫収入の中核を担う石油相に長らく石油省の要職を務めてきた異母兄を配し、石油政策でも自分の意思が完全に貫ける体制づくりを目指しているのではないか、と考えている。

このように、いまやMBSがすべての面で絶対的存在となっている。したがって「サウド家」のなかでも、MBSだけが考えるべき人、運営する人、決める人となっているのではないだろうか。

これでは、一般国民が自分の頭でモノを考える人材になるような人財育成など不要だ。MBSから見れば、自分のやることにケチをつける可能性のある人材を育てることにもなりかねないからだ。まさにジャマル・カショギのように。

若者の熱い支持を受けるMBSの限界

「ビジョン2030」の〝目玉〟の1つが、サウジアラムコのIPO（株式公開）だった。ニューヨークやロンドンなどの世界的な証券取引所に上場して、海外から大規模な資金を導入しようという目論見だったが、結局2019年12月、地元リヤドのタダウル証券取引所への上場で終わってしまった。

なぜ、目玉政策は泡と消えてしまったのか。

原因は種々考えられるが、やはり「カショギ事件」に代表されるように、海外から見て投資対象先としてのサウジへの懸念が大きかったといえるだろう。アメリカでは「911同時多発テロ事件」の被害者が、国家としてのサウジを提訴できる法案が可決されており、もし、アメリカ市場に上場すると国営会社であるサウジアラムコの資産が提訴のリスクにさらされかねないという懸念もあった。

人口の7割以上が30歳未満というサウジにあって、若者のMBSに対する支持率は高いという。だが、冷静に考えてみよう。若者を含めてサウジ国民には、政治的権利なるものは一切ない。つまり、若者の支持がMBSの権力基盤を支えているというのは、民主主義国家で育ったわれわれの稚拙な誤解なのではないだろうか。

筆者はむしろ、若者たちがいつか、サウジの国庫収入が不十分になったときに、一方的に「社会契約」が破られているのに、自分たちに政治的権利がないことに気がつき、強い不満を抱くようになるのではないか、と危惧している。

MBSの登場は、2014年末に原油価格が暴落してからの油価低迷期と重なっている。石油収入が激減したサウジ政府は、禁じ手に頼らざるを得なくなった。ガソリンや水道代への補助金を削減し、付加価値税（VAT＝Value Added Tax。日本の消費税に相当）を導入したのである。さらに「コロナ」拡大により石油消費が激減するなか、サウジは2020年7月、歳入増を目指してVATを3倍の15％に引き上げている。

おそらく、「プーチンの戦争」を遠因とする最近の油価高騰により歳入が急増したサウジ政府は、社会不満を抑えるべくＶＡＴの減額、あるいは補助金増額などにより国民の不満を抑えにかかるだろう。これは、２０１０年から２０１２年にかけて発生した「アラブの春」のときに、サウジ政府がとった対応策と同じものである。

当時、サウジ政府は総額５０００億リアル（約11兆円）の補助金をばらまき、サウジ人雇用義務の強化と合わせて、国民の不満を吸収することに成功した。当時と同じように油価は高騰しており、サウジ政府には財政的余裕があるので、十分に実行可能だろう。

だが問題は、これは根本的解決策ではなく先送りにすぎない、ということだ。

サウジの切り札となるクリーンエネルギーの潜在力

では、サウジに根本的解決策はないのだろうか。

筆者は「ある」と考えている。

それは、かつて前アブドラ国王が手をつけた、ゆったりとした、しかし着実な「民主化」を進めることである。国家として国民に福祉を与える十分な収入のあるあいだに、少しずつ民意をくみ上げる仕組みを導入していくことができるのではないだろうか。

「プーチンの戦争」がもたらしたエネルギー世界の変化は、サウジに有利に働いている。

次章で詳述する気候変動問題への対応として「エネルギー移行」は時間の問題と考えるべきだが、当面はバイデン政権のように「more now less later」（いまは多くの供給が必要、将来少なくする）路線で行かざるを得ないだろう。

だが、地球上の石油はいつかなくなるという「ピークオイル論」の時代と異なり、いつか石油需要がピークを迎える「新ピークオイル論」の時代になっているのだから、コスト競争力の面で有利なプロジェクトしか生き残ることができないと考えられる。

2022年8月上旬、業界紙『Energy Intelligence』は、生き残る石油プロジェクトの対象たる「advanced barrels」（有利な資産としての石油）とは次のようなものだと報じた。

・高い生産性
・短い開発サイクル
・排出炭素量が少ない
・現存インフラが使える
・市場に近い
・他プロジェクトとの統合の可能性

これは、ほぼすべてサウジに当てはまるものではないだろうか。さらにサウジには、クリーンエネルギーである太陽光や風力も十分に拡大発展できる地理的要因がある。

また「エネルギー移行」といえども、前述したように石油化学や航空・船舶などの輸送燃料など、どうしても化石燃料に頼らざるを得ない分野がある。そのためにはCCS（二酸化炭素回収・貯蔵）との併用が必須となるが、幸い、サウジには、枯渇した油ガス田および類似した地質といったCCSに最適の地質構造が無数に存在している。

そもそもサウジの石油生産コストの安さは圧倒的な競争力を誇り、一方で短期的には「エネルギー移行」を乗り切るために海水利用のシェールガス開発も始めている。つまり、国内の石油需要をガスに置き換えることで原油の輸出余力を保持しうる立場にあるのだ。

このようにサウジは、石油生産においては「last man standing」（最後に笑う者）たりうる国であり、当分のあいだエネルギー輸出で収入を賄えるだろう。

一方、民主化の手立てはあるのだろうか。

英経済紙『エコノミスト』が2022年7月28日に掲載した記事「MBS：despot in the desert」（MBS：砂漠の暴君）によると、現在の民意くみ上げシステムは、金曜礼拝後の直訴であり、諮問評議会とのこと。

だが、ＭＢＳがワッハーブ派の聖職者の権力をも抑え込もうとしていることが影響しているのか、「直訴」という形での民意のくみ上げは激減しているという。

また、２０１３年に初めて女性も議員に任命されるようになった諮問評議会は、「コロナ」禍によりオンライン開催となり、いまもまだ対面には戻っていないとのことだ。

議員全員が国王の指名制である諮問評議会で議論され、立法化の動きとなったとしても、最終的には国王の勅令のみが有効なのが現状だ。ただ、そうした限界はあるものの、諮問評議会が一定効果のある民意反映組織であることは間違いないだろう。

また、前アブドラ国王の時代には実施されたが、現在はほとんど実行されていない地方議会選挙を再活性化することも有効な手立てではないだろうか。

このようにサウジには、非常に困難だが、ゆっくりと「民主化」を進める素地は一応残っている。前述のように、ありあまる石油資源とグリーンエネルギーのポテンシャルを生かし、「ビジョン２０３０」を実のあるものとするには、やはり民主化は不可欠であろう。

その意味で言えば、イスラムの最高指導者に最終決定権は帰属しているものの、形式上、国会議員、大統領を選挙で選ぶ仕組みをとっている敵国イランの実情が、１つのヒントになるのではなかろうか。

サウジは決してうれしくないだろうが。

世界の未来を変える「グリーン政策」の光と影

〝環境少女〟グレタさんの視界に入らないもの

2022年夏、ヨーロッパは未曽有の熱波に襲われた。

フランス、スペイン、ポルトガルなどでは大規模な山火事が相次ぎ、暑熱が原因で死亡する人が急増。ロンドンのヒースロー空港でも40℃を超え、イングランド東部では40・3℃とイギリス観測史上、最高気温を記録した。

筆者が初めてロンドン勤務をした1980年代半ばの夏、気温が25℃を超え、会社が「半ドン」になった日が何日かあった。おそらく、そのような社内規定があったのだろう。念のため繰り返すが、気温が「25℃」を超えたから、である。

当時のロンドン・シティのオフィスビルにはほとんど冷房装置がなく、窓が大きいため夏の晴れた日には「温室」状態となり、室内温度はおそらく30℃を超えていたのだろう。イギリス人スタッフは「暑い！」と言いながら退社し、オフィス周辺のパブに繰り出していた。

地球は間違いなく温暖化している。

ロシアのウクライナ侵攻により人々の関心は薄れているが、2015年の「パリ協定」

に集約された、気候変動への対応としてのグリーン化、脱炭素化、エネルギー移行は、依然として重要な課題である。放置すると、人類の存続を危うくしかねないからだ。

その一方で、エネルギーが必要な人々に十分なエネルギーをしっかり供給することも大事だ。なぜなら、脱炭素も大事だが同時にエネルギー供給も、人類が幸せになるためという目的実現のために必要なものだからだ。

世界銀行の報告によれば、日常的に電気を使えない人の数は２０１０年の12億人から、２０１９年には7億５９００万人に減少した。大きく減ったとはいえ、依然として7億人以上の人が「電気なし」の生活をしているのだ。その数は、日本の総人口の約6倍に相当する。決して少ない人数ではない。

国連が定めている17項目の「持続可能な開発目標」、いわゆる「ＳＤＧｓ」（Sustainable Development Goals）のなかに、「２０３０年までに、安価かつ信頼できる現代的エネルギーサービスへの普遍的アクセスを確保する」という目標が含まれているのは、そうした現実を踏まえてのものだ。

だからこそ人類は、本書で何度も指摘している「More Energy Less Carbon」（より多くのエネルギーを、より少ない温室効果ガス排出で供給する）という、相矛盾する命題の同時解決を目指さなければならないのだ。

表現は若干異なるが、ＢＰの前ＣＥＯのボブ・ダドレーは２０１９年2月2日、エネルギー業界が直面している課題として「More Energy, Fewer Emissions」、すなわち「より多くのエネルギーを、より少ない温暖化ガス排出で供給すること」だ、と指摘した。

筆者は、これを「More Energy Less Carbon」と読み替えて、エネルギー業界のみならず人類が直面している課題だと認識し、機会があるたびに繰り返し主張している。

筆者は、一時もてはやされた〝環境少女〟グレタ・トゥーンベリさんの主張に、必ずしも同調できないでいる。なぜなら彼女は「Less Carbon」だけを主張し、「More Energy」については何ら語っていないからだ。

彼女の視界には、いまでも電気を使うことができない7億以上の人たちは入っていないのだろうか。

失敗した「京都議定書」と「パリ協定」の明確な違い

トランプ前米大統領は２０１６年の大統領選のさなか「地球温暖化なる脅威は、アメリカ製造業の競争力をなくさせるために中国がつくったエセ科学」だと主張していた。そして、選挙に勝利し大統領に就任するや否や「パリ協定」から脱退する大統領令に署名した。

だが当時から、エクソンのような米大手国際石油ですら「パリ協定にとどまるべきだ」と主張していた。トランプ大統領がどうしようと、地球温暖化を否定するところからでは何も生まれない。この認識は、アメリカのみならず世界中に広まっていたのだ。

トランプの再選を阻み、２０２０年の大統領選で勝利したジョー・バイデン現大統領は、就任式が終わってすぐに「パリ協定からの脱退を撤回」した。現在も、世界は総じて「パリ協定」を実現すべく動いている、と言っていいだろう。

ではパリ協定は、具体的に何を目指しているのだろうか。

念のために外務省ホームページにある「気候変動 ２０２０年以降の枠組み：パリ協定」などに基づき再確認しておこう。

パリ協定は２０１５年12月、ＣＯＰ21で合意された。

１９９７年のＣＯＰ３で「京都議定書」が合意されたが、民主党から共和党への政権交代が起こりアメリカが批准しなかったこと、経済発展し一大排出国となっていた中国などの途上国が参加していないことなどから、当初から実効性をともなっていなかった。

先進国だけに温室効果ガスの削減を義務づけた「京都議定書」では、１９９０年対比で２００８年から２０１２年の５年間で、先進国全体で排出量を５％削減することを目標と

図表6-1　世界のCO_2排出量の推移

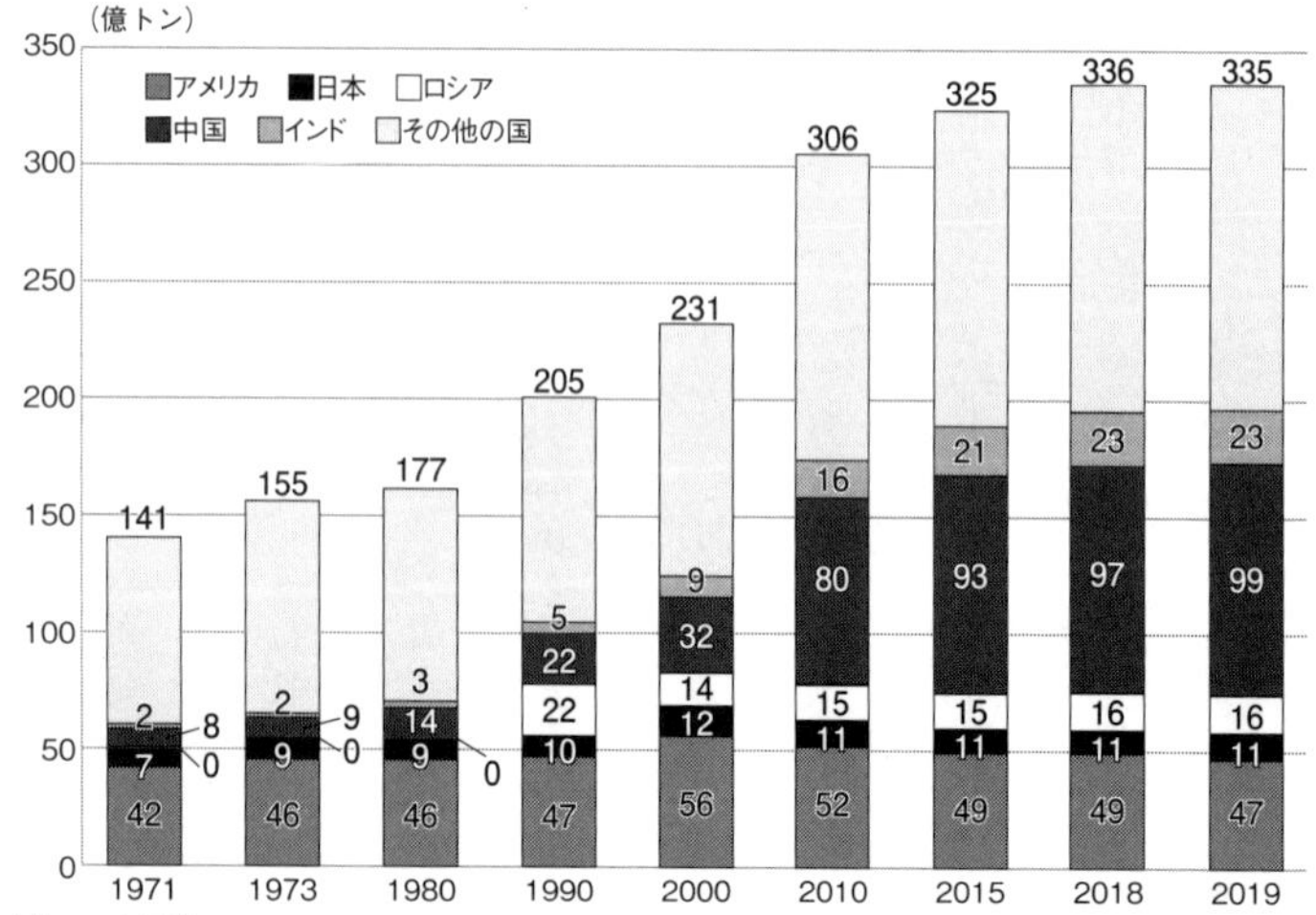

出典：エネ百科HP

していた。

日本は「京都メカニズム」に基づき、他国が削減した分をクレジットとして購入することでその目標を達成した。だが、途上国などがCO_2排出量を増やしたことなどにより、世界全体の温室効果ガスの排出量はかえって増加してしまったのだ。

客観的には、やはり「失敗」だった。

そこでパリ協定は、京都議定書の失敗を教訓に、世界中のほとんどの国が公平に参加する仕組みとした。

パリ協定の最大の眼目は、世界共通の長期目標として、2100年における地球温度の上昇を産業革命前対比2℃以下、できれば1・5℃以下に抑えることである。

京都議定書の失敗を繰り返さず、この目

標を達成するためにつくられた仕組みが「ＮＤＣ」と呼ばれる手法だ。これは「Nationally Determined Contribution」（国が決定する貢献〈としての削減〉）の頭文字をとったもので、「パリ協定」調印の２０１５年から５年目にあたる２０２０年までに各国が自らの削減目標を掲げ、これを5年ごとにレビューしたうえ、さらに目標を高めていく、というやり方を指す。世界中の国がこのとおり実行すれば、時間の経過とともにパリ協定の目標は達成できるだろう、というわけだ。

ＮＤＣは京都議定書と異なり法的拘束力をともなわない。どの国であれ、守らなくても、あるいは守れなくても、特段の罰則規定はない。だが、各国がＮＤＣを策定し公表するにあたり、そのプロセスで国民の意思を確認し、国としての対外公約に反映させることになる。こうして策定し、世界に示した「国民の意思」を無視することは国の威信にかかわる。したがって、きっと守られるはずだ。

ＮＤＣは、このように〝外交の知恵〟の結晶ともいえる仕組みとなっているのだ。

「２０５０年ネットゼロ」に対する排出量大国のホンネ

各国が最初のＮＤＣを確定し、公表することになっていた２０２０年の「ＣＯＰ26」は、折からのコロナ禍で1年の延長を余儀なくされ、2021年11月イギリス・グラスゴーで開催された。

この間、2100年における気温上昇を2℃、あるいは1・5℃以下に抑えるためには、21世紀半ばまでに温室効果ガスの排出量を「ネットゼロ」、すなわち、排出量から吸収量を差し引いた量を「ゼロ」以下にする必要がある、との考え方が浸透していた。

そのため各国は、それぞれのNDCをよりわかりやすく示す温室効果ガス排出量をネットでゼロにする「目標年」を発表するようになっていた。COP26開催前に決定し、発表しないと、国際協力をしない国だと指弾されるのは確実だったからだ。こうして各国は、こぞって発表したのである。

主な国の目標年をまとめると、次のようになる。

達成済み　ガボン、カンボジア、ガイアナ
2035年　フィンランド
2040年　オーストリア、アイスランド
2045年　ドイツ、スウェーデン
2050年　日本、アメリカ、イギリス、フランス、イタリア、カナダ、韓国、UAE

２０５３年　トルコ
２０６０年　中国、ロシア、ブラジル、サウジアラビア、ナイジェリア、ウクライナ
２０６５年　タイ
２０７０年　インド

この目標年を前掲の図表6-1と比べてみると、さらに興味深いことがわかる。

まず、排出量全体の40％以上を占める中国、インド、ロシアの3カ国が２０５０年ではなく、２０６０年以降に目標年を設定していることだ。しかも、現時点では２０５０年を目標としているアメリカは、２０２４年の大統領選で共和党候補が勝利すると、再びパリ協定を脱退する可能性もゼロではない。アメリカは現在、世界第2位の排出国だ。

つまり、中国、アメリカ、インド、ロシアという世界の排出量の半分以上を占める上位4カ国が「２０５０年ネットゼロ」を目指さないことになるかもしれないのだ。排出量50％以上の国々が目指さないなら、「２０５０年ネットゼロ」はまず実現できないだろう。

わが国は２０２０年10月26日、当時の菅義偉《すがよしひで》首相が就任後初の所信表明演説で「２０５０年排出ネットゼロを目指す」と表明している。これは、パリ協定の目標に鑑《かんが》み２０２０年11月開催予定だったＣＯＰ26前に宣言したという点で高く評価すべきである。

なぜなら昨今の対ロシア政策を見るまでもなく、G7の一員として国際協調の姿勢をしっかりと打ち出すことが日本の外交上の得策となるからだ。

ちなみに、ここまで何度も登場する「排出」について、ときに「温室効果ガス」といい、ときに「CO_2＝二酸化炭素」と呼ぶことに戸惑いを覚える人もいるのではないだろうか。そこで若干の説明をつけ加えておこう。

全国地球温暖化防止活動推進センターのデータによると、温室効果ガスに占めるCO_2の比率は76％。残りはメタンが16％、NO_1（一酸化窒素）が6・2％、フロン系が2％。さらに$CO_2$76％のうち65％が化石燃料由来で、11％が森林破壊や山火事によるものだ。

このように、化石燃料由来のCO_2排出量が温室効果ガス全体の65％を占めているので、温室効果ガスの代表としてCO_2を取り上げて議論することが多いのである。

アメリカがパリ協定から再離脱する現実性

さて、前述した2019年のCO_2排出量トップ4か国の世界に占める比率と「ネットゼロ実現目標年」を、改めてまとめておこう。

1位	中国	29・6％	2060年
2位	アメリカ	14・0％	2050年
3位	インド	6・9％	2070年
4位	ロシア	4・8％	2060年
	小計	55・3％	

　このなかでアメリカは、前述したように民主党クリントン政権時に参加した「京都議定書」（1997年採択）から、次の共和党ブッシュ政権が離脱。さらに、次いで民主党オバマ政権が主導した「パリ協定」（2016年発効）から、次の共和党トランプ政権が即離脱したという〝実績〟がある。

アメリカとは、そういうお国柄なのだ。だから、本当に2050年に「ネットゼロ」を達成できるのか、筆者は懸念している。

　2022年11月8日の中間選挙では、トランプ前大統領が希求した大きな「赤い波」は起きなかった。下院こそ共和党が制したものの、上院は民主党が多数派を維持した。あてが外れたが、トランプ前大統領は11月15日、2024年の大統領選に出馬すると発表した。

自らが支持した立候補者の多くが落選したこともあり、トランプ前大統領が共和党候補になれるか否かは不明だ。さらに、2021年1月6日の支持者による議会襲撃事件や、フロリダの邸宅「マール・ア・ラーゴ」に最高機密文書を持ち出した件でFBIが捜査中であること、またトランプ一族企業の脱税容疑事件などの進展によるはずだ。

だが、トランプでなくても共和党の大統領が誕生するような政治環境だと、アメリカは再度パリ協定から離脱する可能性が高まるのではないだろうか。

共和党大統領が誕生して、仮にアメリカが「パリ協定」から離脱すると、現時点で目標としている「2050年排出ネットゼロ」の国際公約はどうなるのだろうか。いったん、棚上げになると見るのが妥当ではないだろうか。

ただし、付言しておくと、それでも大きな流れとしての「グリーン化」「エネルギー移行」は変わらないだろう。なぜなら第3章で説明したように、「アメリカは、大統領が『右向け』と言ったら、『うるさい、それはオレたちが決めることだ』と反発する国」だからである。民間企業の動きと政府の突き上げ次第では状況も進む方向も当然変わりうる国、それがアメリカなのだということを忘れてはならない。

エネルギー業界に衝撃を与えたＩＥＡの「工程表」

それでは、どうすれば世界は「ネットゼロ」を実現できるのだろうか。

筆者は、前述したようにネットゼロ実現は、２０５０年より遅延するのではないか、と見ている。だが、ネットゼロを目指す動き自体は変わらないだろう。ＥＵは「プーチンの戦争」の真っただ中でも「２０５０年ネットゼロ」を目指している。

ＩＥＡ（国際エネルギー機関）は２０２１年5月18日、２０５０年までに世界の温室効果ガス排出量を実質ゼロにするための「工程表」を発表した。

ＩＥＡとは、「オイルショック」のときにＯＰＥＣに対抗して設立された組織で、備蓄義務や緊急時融通制度により石油の安定供給の維持確保を中心課題とする。ところが最近は、持続可能なエネルギー供給を重視するとの観点から「グリーン化」、すなわち再エネへの「エネルギー移行」も主導している。

そのＩＥＡが発表した工程表とは、どういうものなのか。背景を若干説明しておこう。

ＩＥＡは毎年、エネルギーの需給動向や技術開発の見通しなどを「世界エネルギー長期展望」（World Energy Outlook、以下「長期展望」）として発表している。

具体的には、複数のシナリオを分析し、ある前提を実行する、あるいは実行しないとどういう未来になるのかを描き出す。2019年までの「長期展望」では、名称は異なるものの内実は次のような複数のシナリオを提示している。

①現行の政策をそのまま実行するとどうなるかという「現行政策シナリオ」
②やろうとしている方向性や目標を織り込んだ「公表政策シナリオ」
③パリ協定の目標を達成するための道筋を示した「持続可能な開発シナリオ」

ところが2020年春、新型コロナウイルスのパンデミックが発生したため、同年の「長期展望」は大きく変貌した。グリーン政策推進の意欲を強く打ち出したのだ。

①「現行政策シナリオ」はそのままだが、②に代わり、コロナ禍からの回復に時間がかかる「経済回復遅延シナリオ」を入れた。さらに③「持続可能な開発シナリオ」が2070年末までに「ネットゼロ」を目指すことになっていたため、新たに特別シナリオとして「2050年ネットゼロシナリオ」を追加したのだ。

一方で国連、およびCOP26の議長国であり、ヨーロッパのグリーン政策を主導するイギリスは、COP26を成功に導くべく具体的な「2050年ネットゼロ」実現シナリオを求めていた。そこでIEAに具体的な「2050年ネットゼロシナリオ」をより詳細に、かつ具体的に記述し、ＣＯＰ26での「議論のたたき台」を作成するように要請した、というのが工程表が策定されることになった背景である。

つまり、ＩＥＡの工程表とは、こうすれば「２０５０年ネットゼロ」が実現できる、というより、こうしなければ実現できない、という性質のものだ。だから「できる」ことが約束されたものではない。いわば「実現しよう」という政治目標の発表なのである。

それゆえに筆者は、「ネットゼロ宣言」は「決意表明」だ、と指摘している。

史上初の先物市場における「マイナス原油価格」の出現からほぼ1年後、２０２１年5月18日にＩＥＡが発表した「工程表」は、エネルギー業界に衝撃を与えた。

第3章でも触れたように、具体策として、新規の石油ガスプロジェクトへの投資を即、取りやめること、二酸化炭素排出削減対策を施していない石炭火力等の投資決定を行わないこと、２０４０年までに電力分野でのネットゼロ達成、あるいは２０５０年までに電源燃料をすべて再エネにすることなどが含まれていたからだ。

筆者はＩＥＡが工程表を発表した直後の２０２１年5月24日、新潮社の会員制国際情報サイト「フォーサイト」で当時連載していた「岩瀬昇のエネルギー通信」で、「ＩＥＡ『２０５０年排出ネットゼロ』工程表の衝撃的内容」と題して所見を発表した。

業界の片隅に身を置く筆者としては、とくに「新規の石油ガス開発は不要」との結論がきわめて衝撃的だったからだ。

工程表は、2050年の世界の石油需要は75%減少し、2400万BD（日産バレル）となる。したがって、すでに投資決断をしている既存プロジェクトへの投資継続は必要だが、新規のプロジェクトは一切不要だ、と断言していた。

石油、ガス、石炭などの化石燃料に代替する次のエネルギー供給が確保されていない段階で、新規の化石燃料プロジェクトは不要と断言したIEAの思惑とは何なのか。IEAは、「エネルギー安全保障の確保」という本来の役割・目的をすっかり忘れてしまったのではないだろうか、という根本的な疑問すら引き起こす。

IEAには、歴史的に各国が有力官僚を送り込み、そのなかから事務局長が選出されてきた。ところが2015年9月、1995年入局で当時チーフ・エコノミストを務めていたファティ・ビロルが初めての内部昇格で事務局長に選任された。

つまり、このとき初めて、各国の思惑から独立した形でIEAの運営ができるようになったのだ。ビロルはいま、4年任期の2期目にあり、少なくとも2023年8月まで事務局長を務める予定だ。

ちなみに、わが国からは貞森恵祐氏が経済産業省から派遣されており、2012年10月から10年以上、一貫してエネルギー市場・安全保障局長を務めている。

ＩＥＡは一体何がしたいのか。現実を踏まえ、いま何が必要とされているかを考え、組織のあり方を根本から再検討すべき時期にきているのではないだろうか。

「２０５０年ネットゼロ」の前提となる４つの条件

　世の中にはあまり流布していないが、実はＩＥＡの「２０５０年ネットゼロ工程表」には、次の４つの重要な前提条件が示されている。これらが実現できることが「２０５０年ネットゼロ」達成の必須条件だとしているのだ。

①先例のない技術イノベーション
②レアメタルなど金属の大増産・安定供給・安全保障
③資金・技術に関する国際協力
④人々の大幅な行動変容

　①は、実験室内では実現可能な技術を、どうすれば商業規模、つまり経済性をもったものとして確立できるか、そして、いつまでにそれができるか、という問題である。

たとえば蓄電（バッテリー）技術、水の電気分解技術の高度化、CO_2直接空気回収技術、CO_2や水素の大規模輸送インフラ、CCS（二酸化炭素回収・貯蔵）技術などである。

次の②は、ネットゼロ実現のカギを握っている方策、すなわち電気で代替できるエネルギーはすべて電気で賄おうという「電化問題」から生じる諸課題である。現状よりも圧倒的に大規模な電化システムを形成しなければならないからである。

EVの普及拡大、発電設備のみならず送電網等も大幅な能力拡大が必要となる。老朽化したインフラは、すべて新たなものに代替する必要がある。

これら必要不可欠なインフラ整備には、鉄、銅のみならず、リチウム、コバルトなどのレアメタルも現在の何倍もの供給が必要だ。つまり、すべからく大増産が必要なのだ。

さらに問題なのは、現在レアメタルの生産が偏在しているのみならず、生産された原料を商品化する技術処理段階で、中国が独占的なシェアを占めていることだ。まさに「経済安保」の問題が生じているのだ。このままでは「供給の安全保障」は確保できない。

そして③「資金・技術に関する国際協力」とは、そもそも現在の地球温暖化問題は、産業革命以降、先進国が大量に化石燃料を使用して発展してきたことが原因だという、歴然たる事実に基づくものだ。

発展途上国からみれば、これから発展しようという自分たちが安価な化石燃料を使用できないというのは不公平というわけだ。したがって先進国は、途上国に対して資金と技術を供与すべきだというのである。これは正論なので、誰も否定することはできない。だが、では先進国としてどれだけの負担をすればいいのか、あるいは、先進国間でどのように分担すべきなのか、という問題が立ち上がっている。

２０２２年11月に開催されたＣＯＰ27で、この問題が大きくクローズアップされた。議長国エジプトが「損失と損害」(loss and damage) を正式議題として取り上げたのだ。気候変動によりもたらされた「損失と損害」を放置すべきではない、というわけだ。だが、補償を要求する途上国と、経済的な負担増大を拒否したい先進国の議論は紛糾し、会期を延長せざるを得なかった。

２０２２年夏のパキスタンの大洪水などによる損害を補償すべく、「損失と損害基金」を立ち上げることで合意した。だが、詳細は次回ＣＯＰ28で定めるという政治的な妥協策だった。本件は根が深く、先進国と途上国が完全合意に至るのは容易ではないだろう。

さらに、ＩＥＡ工程表で示された「２０５０年ネットゼロ」達成のための４つ目の前提条件「人々の大幅な行動変容」というのも悩ましい問題だ。事項で改めて説明しよう。

エネルギーが生み出す人類の「幸せ」と「不幸せ」

「2050年ネットゼロ」を法制化しているイギリスでは、2020年末に「エネルギー白書」と題した「エネルギー基本計画」ともいうべきものを公表した。この策定にあたり、意見具申をした「気候変動委員会」(Climate Change Committee) の提言には、IEAの「工程表」が前提としている「大幅な行動変容」を求めるものが含まれている。

たとえば、人々の移動は炭素排出のない、あるいは少ない方法を選ぶべきで、バスなどの公共交通、サイクリング、徒歩などに変更せよ、という提言が含まれている。これは想定内だろう。ところが、それ以外にも、たとえば、牛肉・乳製品の摂取量を2030年までに現在より20%、2050年までに35%削減すべきだ、と提言しているのだ。

これらの「行動変容」を求める提言を読むと、「人類にとって幸せとは何か」を考えさせられてしまう。振り返れば人類は、図表6-2グラフからも理解できるように、幸せを求めてエネルギーを活用し、人口を増やしてきた。

筆者が大昔、香港大学で北京語を勉強したとき、中国人の日常的なあいさつが「チーファンラマ?」だということを知り、そういうものか、と思った。

それから30年後、バンコク勤務になったときにタイ語の勉強を始め、タイ人のあいさつ

図表6-2　世界のエネルギー消費量と人口増加の比例

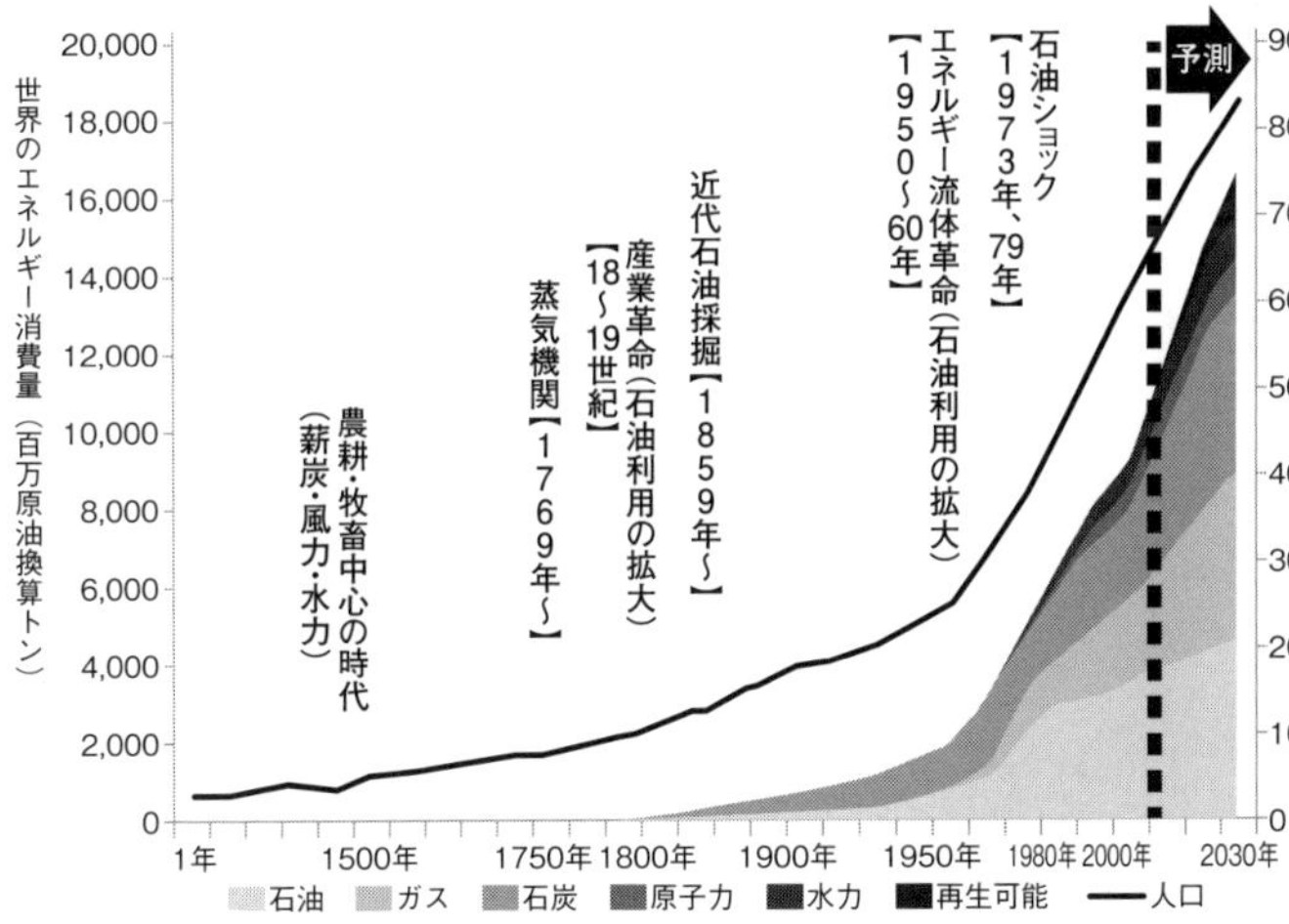

出典：資源エネルギー庁「エネルギー白書2013」

が「ギンカーオ・ルーヤン？」だと知り衝撃を受けた。「チーファンラマ？」も「ギンカーオ・ルーヤン？」も、「ご飯を食べましたか？」という意味だからだ。

人類は、太古の昔から「ご飯を食べられる」ことが幸せの原点であり、臣民の幸せのため十分な食料供給を確保することが、為政者にとって治世の要諦《ようてい》だったのだ。

さらに、古舘恒介氏の名著『エネルギーをめぐる旅』（英治出版、2021年）によれば、歴史上の「エネルギー革命」は次の5回だという。

①火の利用
②農耕の開始
③蒸気機関の発明

④電気の利用拡大
⑤化石燃料からの肥料製造

無学にして筆者は知らなかったが、野生のチンパンジーは一日に6時間以上も食べ物を咀嚼《そしゃく》することに費やしているそうだ。人類は、火というエネルギーを利用することによって食料を煮炊きし、食事時間を短縮した。その結果、さまざまな行動ができるようになったことが、今日の発展の原点なのだとか。他の4回のエネルギー革命については、ぜひ古舘氏の本をお読みいただきたい。

さて文明が発達して以来、これまで人類は、幸せを求めてエネルギー革命を起こし、人口を増加させてきた。では今後、人口はどう推移していくのだろうか。

国連経済社会局が2022年7月11日に発表した「世界人口推計2022年版」によると、世界の人口はいまは80億人強だが（11月15日に国連は「超えた」と発表した）、今後も増加し、2050年には95億人程度、2080年台に約104億人でピークに達するものと見られている。そして気温上昇を2℃以下、できれば1・5℃以下に抑えようとしている2100年ごろまでは、そのまま横ばいで推移する見通しとのことだ。

これまで人類は、昨日よりも今日、今日よりも明日、もっと幸せに暮らしたいという本能的な欲望に従って生きてきた。幸せに暮らすためには、食料も含めてさまざまなエネルギーが必要だ。だから、人口が増加する限り、エネルギー消費も増加すると考えるのが自然だろう。

問題は、現在消費しているエネルギーの８割が化石燃料だということだ。程度の差はあれ、化石燃料はCO_2を排出し、地球の気温を上昇させる。地球は温暖化し、人類の生存そのものを脅かす。結果、人類は不幸になる。

一方でエネルギーがなかったら、やはり人類は間違いなく不幸になる。

だからこそ「More Energy Less Carbon」という課題に、人類は正面から向き合っていかなければならないのだ。

ＩＥＡの工程表は映画『ラ・ラ・ランド』の続編だ

ここまで見てきたように、われわれの目指す方向ははっきりしている。グリーン化であると同時に、向かうべき道に、どんな大きな障害が待ちかまえているかもはっきりした。

では、どうすれば障害を乗り越えられるのだろうか。

筆者は「２０５０年」にとらわれることなく「排出ネットゼロ」実現を目指すことだと

考えている。そのためには、現在の一次エネルギーの8割以上を供給しているエネルギー会社、産油ガス国を巻き込んだ「COP」の議論が大事であろう。

2022年11月、エジプトで開催されたCOP27に、初めてエネルギー会社が公式プログラムに招待された。また、2023年開催予定のCOP28は、湾岸産油国であるUAEで開催される。

エネルギー会社や産油ガス国は、現実に人々が必要とするエネルギーの8割以上を供給している。したがって、現在供給しているエネルギーの特質や抱える問題点を一番よく理解している。また、世界がグリーン化を目指し「ネットゼロ」に向かって動いていること、そのために事業構造の転換が必要なことも理解している。まだまだ不十分かもしれないが、低炭素エネルギー技術・プロジェクトへの投資も始めている。

そんな彼らの目からすると、IEAが策定した工程表は相当程度に非現実的、あるいはほとんどファンタジーだと見えている。事実、サウジの石油相、ABSことアブドラアジーズ・ビン・サルマーン王子はこう述べていた。

「IEAの『2050年排出ネットゼロ工程表』は、映画『ラ・ラ・ランド』の続編としか思えない」と。

このような、エネルギー問題に対するファンタジックな見方と、リアリスティックな考え方の違いは、どのようにして生まれるのだろうか。

われわれが通常使用しているのは「フォーキャスティング」（forecasting）と呼ばれる思考法だ。これは「現在を起点」とし、将来の問題解決策を見つける思考法だ。現在の諸条件を与件とし、過去の経験値を参考にして解決策を探ろうとするものである。短期的で、目前の課題解決や目標達成に適した思考法といえる。

われわれ日本人は、おおむね「フォーキャスティング」と呼ばれるこの思考法を使っているが、ときには、「バックキャスティング」（backcasting）と混然一体となった思考法になることもある。残念ながらわが国の「エネルギー基本計画」は、この混然一体型だ。

では「バックキャスティング」とは、どういう思考法なのか。それは、あるべき「未来」を想定し、「未来を起点」として解決策を求める思考法で、１９８０～90年代から広まったものだ。

この思考法は、解決策がすぐには見つからないものに適している。制限がないため、飛躍的なアイデアや新しい発想を導き出しやすい、というメリットがあるからだ。反面、実現への不確実性が増し、実現そのものが困難なものになりがちだ。したがって、短期的に答えを見つけ、実現を目指すものには適していない。

２１００年の気温上昇を１・５℃以下に抑えようという〝未来目標〟を起点とするＩＥ

Aの「2050年ネットゼロ工程表」は、見事なまでに「バックキャスティング」思考法に基づいたものだ。われわれは、その利点と欠点を理解したうえで読み解くべきなのだ。

思えば現在のエネルギー供給システムは、百年単位の時間をかけてつくり上げられてきた。当然、「ネットゼロ」を支える、グリーン化したエネルギー供給システムの構築にも、膨大な時間がかかると覚悟すべきなのではなかろうか。

望ましい「未来」を見据えつつ、「足元」からシステム再構築を地道に続けていくしかない。そのためには、現在のエネルギー供給者を巻き込む必要があるのだ。

あるいは、現在の社会秩序を維持できないかもしれない。これまでの生活習慣を維持できないかもしれない。もしかすると、民族大移動を余儀なくされるかもしれない。

だが、それもまた人類の持つ適応能力なのだ。

人類は、これまでも英知を絞って生き抜いてきた。「More Energy Less Carbon」の実現にも、何かしらの方策を見つけ出すことができるだろう。

では、エネルギーを「持たざる国」に住むわれわれに、いったい何ができるのだろうか。そして、何をすべきなのだろうか。

これについて、最後に見ていくことにしたい。

第7章

「持たざる国」日本の進むべき道

「プーチンの戦争」の本質を突く100年前の警告

此の地球は空氣《くうき》、陸、水の三よりして成つて居《い》る、而《しこう》して空氣を支配するは飛行機であり、陸を支配するは自動車であり、水を支配するは内燃汽船である。然《しか》るに飛行機も、自動車も、内燃汽船も、ガソリン油即《すなわ》ち石油に依《よ》らざれば一寸《いっすん》だに行《や》る能《あた》はず、即ち石油無き國家は、空氣、陸、水に劣敗し、即ち此の地球の上に存在を容《ゆる》さざるに至るべきである。（略）然れば将来の事は一言にて盡《つ》くる、曰《いわ》く油の供給の豊富な國家は光り栄へ、油の無き國家は自然に消滅すと、誰が云《い》ひ初めけん『油断大敵』と、大敵どころか油が断ゆれば國が断ゆるのである。『油断國断』である。然るに日本にては現在の少々數《しょうしょうすう》なる飛行機、自動車、内燃機関に消費するガソリン油すらも其《そ》の三分の一だに國内に於《おい》て算出し得ない。日本の石油政策は如何《いかん》、是《こ》れぞ實《じつ》に日本國家の生存問題である。（注：ルビ筆者）

これは大正時代の地理学者、志賀重昂《しがしげたか》の著書『知られざる国々』（１９２５年）の一節である。

中南米から中東、さらにはアフリカを旅した志賀は本書で、各地の状況を紹介し、人種差別問題などにも触れている。そして冒頭の項目「一」で、人口過剰問題と並べて石油政策について「日本に是れより以上の大問題ありや」と問題提起し、国民一人ひとりに「油断国断」なることを周知徹底することこそ石油政策の第一歩だ、と主張しているのだ。

この書籍が出版されてからほぼ１００年が経過した２０２２年２月24日、ロシアはウクライナへの侵略戦争を開始した。９カ月後の２０２２年11月末現在、戦闘は依然として続いており、終結の気配はいまだ見えない。

この戦争もまた、石油に支えられている。志賀が指摘しているように、陸海空、すべての輸送燃料として石油が使われている。戦闘員や兵器・資機材の輸送に、あるいは敵兵を殺戮《さつりく》する多種多様の兵器にも、大量の石油が用いられている。石油がなければ、戦闘を継続することすらできない。つまり敗北は必至。まさに「油断国断」なのである。

戦争のみならず、現代では経済・社会生活のあらゆる場面で石油が活用されている。世界で使われている膨大なエネルギーの約３割が石油なのだ。天然ガスや石炭が約４分の１ずつだから、依然として石油が最大のエネルギー源なのだ。ちなみに残りは、水力と再生可能エネルギーがそれぞれ７％弱、原子力が４％強である。

繰り返し述べてきたように、いまや人類最大の課題は「More Energy Less Carbon」（より多くのエネルギーを、より少ない温室効果ガス排出で供給する）の同時解決である。

残念ながらわが国は、化石燃料も再エネも、とにかくエネルギーというエネルギーを「持たざる国」だ。それでも、この人類共通の課題には取り組んでいかざるを得ない。

日本のエネルギー自給率「1割」の意味

志賀重昂をして「油断国断」と言わしめたほど重要な石油だが、では日本のエネルギー自給率はどうなっているのだろうか。

実は戦前には、8割を超えていた時代もあった。図表7-1は、筆者が某日某所での講演資料として作成したものの一部だ。ここにあるように、盧溝橋《ろこうきょう》事件をきっかけに当時、支那《しな》事変と呼んだ日中戦争が始まった1937（昭和12）年、当時、日本のエネルギー自給率はなんと8割を超えていた。

では、1937年当時と比べるとエネルギー消費量が10倍以上となっている近年はどうだろうか。

資源エネルギー庁の資料によると、最近の自給率は約1割であり、先進国のなかでは圧倒的に低いのが現実だ。同じく資源エネルギー庁が毎年発表している「エネルギー白書2021版」の「第1章 国内エネルギー動向」によると、自給率は、石油および石炭が0・

図表7-1　石炭が6割（昭和12年）

一次エネルギー供給構成（単位：石炭1,000トン、％）

	数量	構成比		数量	構成比
水力	13,330	17.9	天然ガス	60	0.1
石炭	46,313	62.2	LPG -		-
生産	39,465	53.0	薪	4,230	5.7
輸入	6,848	9.2	木炭	2,363	2.2
亜炭	50	0.1	合計	74,354	100.0
石油	7,998	10.8	国産	60,069	80.9
国産原油	561	0.8	輸入	14,285	19.2
輸入原油	2,848	3.8			
製品輸入	4,589	6.2	石油 輸入依存		92.5%

出典：『現代日本産業発達史Ⅱ石油』

図表7-2　各国・地域の一次エネルギー燃料別シェア

	石油	ガス	石炭	原子力	水力	再エネ	合計
世界	31.0	24.4	26.9	4.3	6.8	6.7	595.15
日本	37.3	21.0	27.1	3.1	4.1	7.4	17.74
アメリカ	38.0	32.0	11.4	8.0	2.6	8.0	92.97
中国	19.4	8.6	55.9	2.3	7.8	7.2	157.65
ヨーロッパ	33.5	25.0	12.2	9.7	7.4	12.3	82.38

（2021年、単位：％、合計＝EJ）

出典：BP統計集2022から筆者作成

5％以下、天然ガスが2・2％となっている。他に「自給」しているものとしては水力と再エネ、そしてウランを輸入する必要はあるが半永久的に使用できる原子力（純国産扱い）とがある。

石油とガスは、生成する条件がほぼ同じである。したがって、石油がないところにはガスもないことが多い。もちろん、どちらかだけがあるということもあるが、石油やガスを生成する地質条件がそろっていないわが国には、どちらも「ほぼない」のである。

したがって、以下、石油について説明するが、ほぼ同じことがガスについても当てはまるものとご理解いただきたい。

1859年に機械を使った商業生産が始まってから160年以上経つが、石油の生成起源について、正確なことはいまだにわかっていない。大きく分けて、「有機起源説」と「無機起源説」がある。

有機起源説とは、生物の遺骸が海底や湖底に堆積して地層に埋もれ、高温高圧の地下で何千万年、何億年という長い時間をかけて石油ガスが生成されたという説である。

無機起源説とは、地球誕生時に宇宙から飛来し、いまもなお地球内深部に存在するマグマのなかの無機物質から石油ガスは生成している、という考え方である。

最近の石油会社は、ほぼすべて有機起源説のなかの「有機ケロジェン説」に基づいて探鉱活動を行っているので、同説が主流だと考えていいだろう。

石油、ガスおよび石炭は「化石燃料」と呼ばれるように、化石が発見される地層に存在していることが多い。化石が生成されたのは、おおよそ４億数千年前（古生代の初め）から６５００万年前（中生代の終わり）までの期間である。もう少し新しい新生代第三紀（６５００万年前から１６０万年前まで）でも発見されているが、大部分は古生代から中世代の、いわゆる化石時代の地層からだ。

総じて日本の地質年代は相対的に若く、とくに２００万年ほど前に火山活動が活発であったため、多くの断層が形成されているという特徴がある。したがって、石油ガスの生成はもとより、それが移動し、たまることも少なかったのだ。これは、自然がもたらす日本の厳然たる地質的事実である。お金をかけて掘削活動を活発化したところで、どうにかなるものではない。

次に、前述した地理的要因により生成量に限界のある、わが国の原油の生産量の推移を見てみよう。ちなみに原油を石油と呼ぶこともあるが、厳密には石油のほうが広義で、原油と石油製品をも含めて石油と呼ぶのが正しい。

日本の原油生産量は１９５０年度が34万１０００kℓで、２０１９年度が52万４０００kℓ、この間の最高生産量が1992年度の98万1000kℓと、戦後の原油国産量はおおむね数十万kℓ水準で推移している。つまり、日本の原油生産の実力はほぼ50万kℓ／年なのである。年50万kℓは約8600BD（日産バレル）に相当する。

これは、わが国の石油消費量の何％くらいに相当するのだろうか。

「エネルギー白書2022年版」によると、国産と輸入を合わせた原油供給量は戦後復興とともに右肩上がりで急増し、オイルショックが起こった1970年代には3億kℓ（約500万BD）弱。その後、脱石油を進めたこともあり、「逆オイルショック」が発生した80年代半ばには2億kℓ（約340万BD）弱にまで落ち込んだ。

それから再び増加に転じ、2億5000万kℓ（約430万BD）で横ばいの時期が続いたのち、2010年ごろから右肩下がりで減少し、最近では1億5000万kℓ（約260万BD）も割り込んでいる。先述の国産50万kℓとは、消費量を1億5000万kℓとみても自給率0・33％でしかない。

前述したとおり、最近の日本のエネルギー自給率は石油と石炭が0・5％以下、天然ガスが2・2％、原子力や水力、あるいは再エネを含めた一次エネルギー全体で考えても約1割というのが、おおよその水準である。

では、化石燃料ではなく日本の再エネは、どうなっているのだろうか。

多大な期待に応えられない太陽光パネルの新設

日本は、気候温暖、風光明媚《ふうこうめいび》な美しい国である。山岳地帯が多く平地面積は少ないが、生活を楽しむには申し分のない環境だ。

だが、再エネの観点からすると、この自然環境は悲しい結論を導き出してしまう。

太陽光発電は、当然のことながら日射量に左右される。日射時間も重要な要素だ。日が落ちたら、まったく発電できないことは言うまでもない。一日のうちに発電できる時間帯があって、それからできない時間帯が訪れる。つまり「intermittent」（間欠性の）電源なのである。

しかもこれは、人間の意志、能力でどうなるものでもない。人知を超えた、正に「お天道様」次第なのである。太陽光の能力という観点からは、第5章の冒頭で紹介したエピソードからもわかるように、中東や北アフリカなどの砂漠地帯に勝るものはない。中国のゴビ砂漠も同じなのだろう。

また、経済性を考慮すると、太陽光パネルをふんだんに敷ける、人家の少ない十分な広さの平地が確保できることも重要だ。山間地では設営のみならず補修保全作業など、すべからく効率が悪くなる。

実は日本はすでに、国土面積あたりの太陽光発電導入量が主要国では最大となっている。さらに平地面積あたりで見るとドイツの2倍と、国土面積あたりの絶対容量でも世界最大の規模になっている。

２０１１年に４・９ＧＷ（ギガワット）だった太陽光発電の設備容量は、２０２１年には74・２ＧＷへと拡大している。これは２０１２年に42円／ＫＷｈ（キロワット時）という高値の「ＦＩＴ」（Feed-in Tariff＝固定価格買い取り制度）により、太陽光発電導入を政治的に促した効果である（発電容量は「ＢＰ統計集２０２２」による。以下同）。ちなみに世界では、すでに1セント／ＫＷｈ台での落札が頻発しているのが現実だ。

いずれにせよ日本では、太陽光にこれ以上、大きな期待を持つことはできないのだ。

だが、東京都は２０２２年9月9日、新築戸建ての太陽光パネル設置義務化に動き始めた。賛否両論が飛び交っているが、これで再エネ発電の拡充につながるのであろうか。

また、２０２１年7月27日に『日本経済新聞』が報じたところによると、経済産業省や国土交通省が２０３０年までに新築戸建て住宅の約6割に太陽光パネルを設置する検討に入ったという。もし、実現すれば、２０３０年には90億ＫＷｈの発電が期待できるとのことだ。これは、現在の発電量＝消費量の約１％に相当する。

当該記事には詳細が記されていないが、これは、現在のＦＩＴをすべて廃止するのが前

図表7-3　太陽光発電の売電価格推移

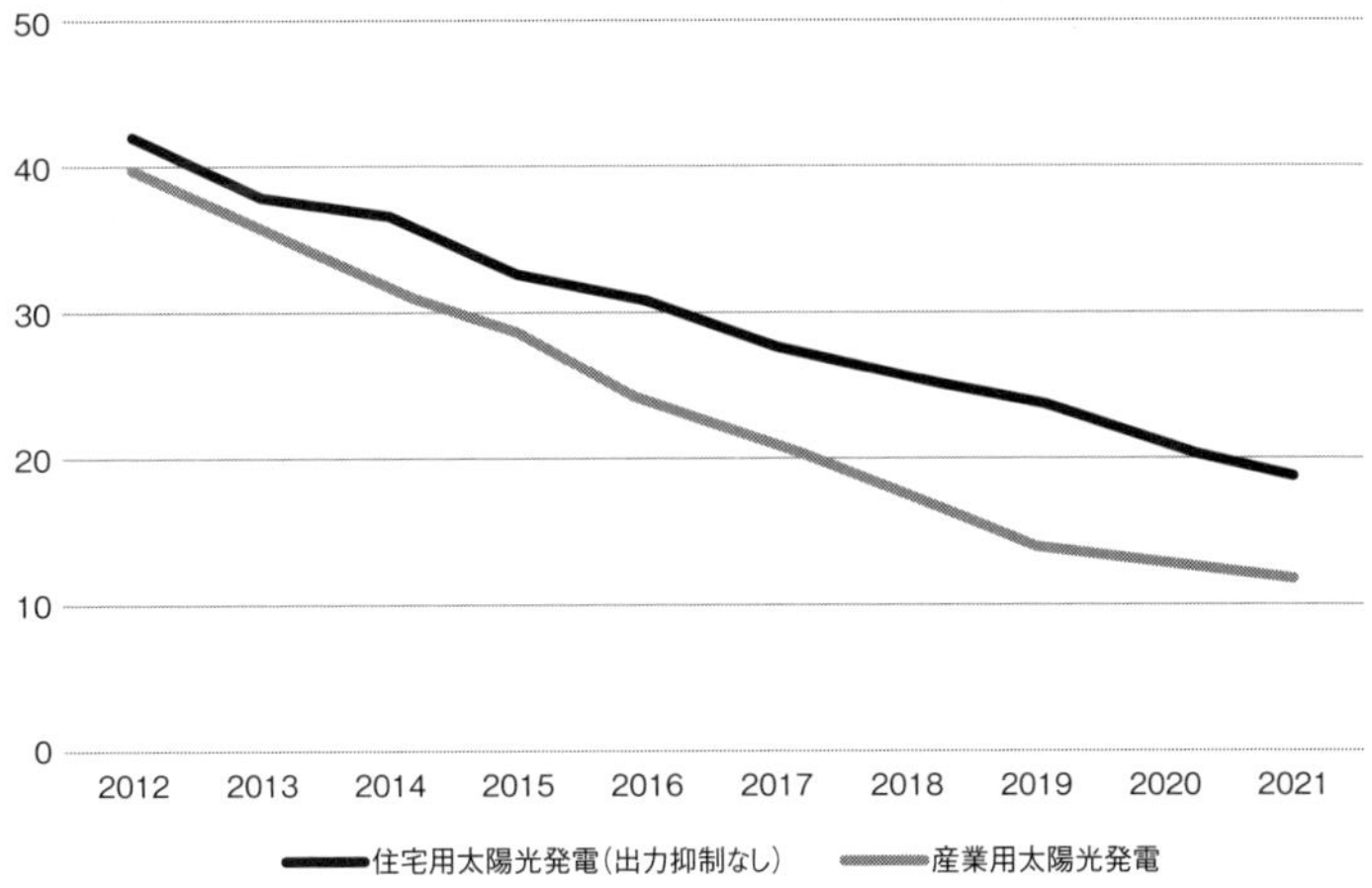

出典：SOLACHIE HP（2022年10月14日）

提なのだろうか。それでも経済性が成り立つものなのだろうか。とりわけ、耐用年数が過ぎたあとの廃棄処理にかかる費用を、どの程度見込んでいるのだろうか。

不安材料がいっぱいである。繰り返すが、日本全国の新築の６割に太陽光パネルを設置したところで、賄える電力は発電量＝消費量全体の約１％にすぎないのだ。

どう考えても、せいぜい「やらないよりはまし」といった程度の効果しか望めないのではないだろうか。日本のエネルギー問題解決という観点からすれば、太陽光に過大な期待は禁物だと断言できる。

では、風力はどうだろうか。

風力には陸上風力と洋上風力とがある。

残念ながら山岳地帯が多く平地が少ない日本の地勢が、陸上風力発電の普及を妨げているのが実態だ。安定した風量が確保できるところが少なく、住民の生活環境への悪影響を免れ得ないからだ。

つい最近でも、多くの大型プロジェクトが中止に追い込まれている。環境や景観への悪影響を懸念する地元の理解が得られなかったからだ。

太陽光と同じように２０１２年、風力発電の拡大を目指して22円／ＫＷｈのＦＩＴが導入された。だが、２０１１年には２・４ＧＷだった発電容量は10年後の２０２１年になっても４・５ＧＷにしか増えていない。あるいは、売電価格が年を追うごとに安くなっていることが影響しているのだろうか。

たとえば太陽光は、導入時42円／ＫＷｈだった買取価格が２０２１年には19円に、陸上風力は22円だったものが16・16円（平均落札価格）に下がっている。

冷静に考えると日本の自然環境では、もはや陸上風力の拡大の余地はほぼないと言っていいだろう。

それでは今後、世界でも日本でも拡大が期待されている洋上風力はどうだろうか？

洋上風力の目標「案件を形成する」の真意

わが国は、2020年12月15日に公表した「洋上風力産業ビジョン（第1次）」で、2030年までに10GW、2040年までに30〜45GWの洋上風力を導入する目標を掲げている。ここで留意しなくてはならないのは、あくまで「導入目標」として「案件を形成する」と実際の文面に記載されている点である。

聞きなれない言い回しかもしれないが、「案件を形成する」とはどういうことか。これは実は、たとえば入札を行い、落札者を決定する、くらいのことしか想定していないということなのだ。つまり、発電設備を建設し、稼働して発電し、消費者に電気を供給する「操業開始時期は明示しない」ということである。

この表現は、いわゆる「霞が関用語」だ。つまりは役所によるリスクヘッジ策である。これでは2030年に、どれだけの洋上風力発電が稼働しているのか、できるのかが、まったくわからない。菅首相が2021年4月の「気候サミット」で宣言した、2030年時点の温室効果ガス排出量を2013年対比で46%削減する、という国際公約とどう連関できるのだろうか。大いに疑問だ。

では百歩譲って、「案件を形成する」という「目標」の実現可能性はどうなのだろうか。

図表7-4　主要国の風力（陸上＋洋上）および太陽光の発電容量と発電量

国名	風力 容量（GW）	風力 発電量（KWh）	風力 稼働率（%）	太陽光 容量（GW）	太陽光 発電量（KWh）	太陽光 稼働率（%）
中国	329.0	655.6	22.7	306.4	327.0	12.2
アメリカ	132.7	383.6	33.0	93.7	165.4	20.2
ドイツ	63.8	117.7	21.1	58.5	49.0	9.6
日本	4.5	8.2	20.8	74.2	86.3	13.3

出典：BP統計集2022（稼働率は筆者計算）

世界を見渡してみよう。

洋上風力分野で先頭を走ってきたのはイギリスだ。イギリスには、ほぼ通年、強い風が吹いている北海がある。

筆者も一度だけだが、北海の強風を体感したことがある。

テヘラン勤務から横滑りで、ロンドンへ二度目の転勤をしたときのこと。業務引き継ぎの一環として前任者とともに、ノルウェーとの国境に近い英領北海上のBPがオペレーターを務めている天然ガス生産プラットホームに視察に行った。

スコットランドのアバディーンからヘリコプターに乗り込み、約1時間のフライトで着いた生産施設は、ヘリポートから約200㎞の沖合にあった。北海の真っただ中にある巨大なプラットホームには設備棟と居住棟とがあり、居住棟のなかにはエレベーターが設置されていた。通常のビルなら、10階建てほどになる建造物だ。

居住棟内の会議室で説明を受け、それから設備棟を視察した。ひとたび建物の外に出るや、常にどこかに掴まっていないと吹き飛ばされるような強風が吹いていた。聞けば、その日は比較的マイルドな天候とのことだった。

北海油田があるこのあたりは、ほぼ全域が水深数十mの遠浅の大陸棚となっている。陸上の生物の遺骸が石油ガスの起源だと考えられているので、陸地の次に油ガス田があるのは岸から比較的近い大陸棚であっても不思議はない。現実に、世界中の多くの海上油ガス田は大陸棚にある。ペルシャ（アラビア）湾しかり、かつて「シャム湾」と呼ばれたタイランド湾しかりである。

したがって、筆者たちが視察に訪れたプラットホームも着床式だったように、北海では海底に足をつけた着床式の風力タービン設備の設置が可能なのだ。

だが、日本は違う。日本には遠浅の大陸棚はほとんどなく、海は陸からすぐに深くなっている。したがって、着床式が設置できる海域は少なく、どうしても陸までの送電線敷設を含め、設置コストの高い浮体式に頼らざるを得ない。

このように日本の地理条件は、世界的に期待度の高い洋上風力に関しても、やはり不利に働いているのだ。

中国やアメリカにあって日本にないもの

と、ここまで書いて、世界地図を広げてみた。

陸地の等高線に相当する海の等深線を見てみると、改めて北海は浅く、日本の近海は陸からすぐに深くなっていることが確認できた。また、ペルシャ湾もタイランド湾も浅い。

では、資源大国アメリカやヨーロッパはどうだろうか。アメリカの太平洋岸沿岸は、岸からすぐに深くなっている。フランス、スペイン、ポルトガルの西側の海も同じだ。

一方で、中国の東側に位置する東シナ海や、アメリカの東部、大西洋沿岸には、浅い海、遠浅の大陸棚が広がっている。つまり、中国やアメリカ東部には着床式の洋上風力を発展させる地勢条件がそろっているということだ。これは、日本が持たないアドバンテージである。

では、中国やアメリカは、そうしたアドバンテージを本当に生かしているのだろうか。

「世界風力会議」（GWEC＝Global Wind Energy Council）という団体がある。このGWECは2005年に創設された、洋上風力では最大手といわれるデンマークの「オーステッド」や「ベスタス」などをはじめ、錚々たる関係企業が主要メンバーとなっている組織だ。

このGWECは毎年「年次報告」を発行している。その最新版である「洋上風力年次報

図表7-5　世界の洋上風力発電能力トップ5

順位	国名	2021年末能力	2021年増加分
1位	中国	26.3	16.9
2位	イギリス	12.3	2.3
3位	ドイツ	7.8	n.a.
4位	オランダ	2.8	0.392
5位	デンマーク	2.2	0.608
	小計	51.4	20.2
	世界合計	55.9	21.1

（単位：GW）

告２０２２年版」に目を通して驚かされた。なんと、２０２１年に中国がイギリスを抜いて、世界最大の洋上風力発電国になっていたのだ。

それによると、２０２１年には世界で前年の３倍以上の21・１ＧＷの新規設備が設置され、合計が56ＧＷになった。その増加分の実に８割が中国で、結果として中国がイギリスを抜き、世界最大の洋上風力能力を持つ国になったというのだ。なお、洋上風力と合わせた風力発電能力の世界合計は８００ＧＷとなっている。

２０２１年に増加した分を含め、２０２１年末の洋上風力能力の一覧を図表7-5にまとめた。これらはほぼすべて「着床式」のものだ。「ＧＷＥＣ年次報告２０２２」にも、現存する洋上風力発電能力約56ＧＷのうち、「浮体式」は約０・２％の１２１・４ＭＷ（メガワット）しかない、と記

図表7-6　風力発電量の世界トップ5

順位	国名	風力合計	洋上風力	陸上風力
1位	中国	329.0	26.3	302.7
2位	アメリカ	132.7	nil	132.7
3位	ドイツ	63.8	7.8	56.0
4位	インド	40.1	nil	40.1
5位	イギリス	27.1	12.3	14.8

（単位：GW）

出典：風力合計＝BP統計集2022、洋上風力＝GWEC年次報告2022、陸上風力＝筆者計算

されている。この、ほぼ唯一の浮体式は、英『FT』の報道によると、イギリス政府の手厚い補助金があって実現しているという。

ちなみに日本では、長崎県の五島《ごとう》列島沖に政府の実験事業として始まった、発電容量2MWの浮体式風力発電が商用運転されている。

では、アメリカはどうなっているのだろうか。

アメリカは、図表7-6にあるように、風力発電能力では中国に次ぐ世界第2位の規模を誇っている。だが、洋上風力で稼働しているものはほぼないので、これはすべて陸上風力と見ていいだろう。

バイデン大統領は、2030年までに30GWの洋上風力建設を目標として掲げている。

これまで疑問視されていたが、2022年8月に「インフレ抑制法案」が成立したことにより、実現への大きな一歩を踏み出したと言える。法案名にもかか

わらず、中身はグリーン化を目指した気候変動対策だ。水素、ＣＣＳ（二酸化炭素回収・貯蔵）、ＥＶ、あるいは再エネ発電などクリーンエネルギー開発への税控除等が盛り込まれている。洋上風力のカギを握る風車もまた税控除対象となっている。

「ＧＷＥＣ年次報告２０２２」によると、アメリカの洋上風力管理当局である内務省海洋エネルギー局はすでに環境評価を行い、該当海域のリース権の入札などを行っている。

なお、州政府は再エネ発電に熱心だが、「着床式」の適地が少ない太平洋岸のカリフォルニア州沖合では、現時点ではコストが圧倒的に高く、さらなる技術革新が必要な「浮体式」も検討対象に挙がっているとのことだ。

このように中国やアメリカ、あるいはイギリスは着実に洋上風力を推進している。

他方、残念ながら日本では、２０２１年12月、実質的に初めての入札で3カ所、計1・69ＧＷ分が落札されたが、２０２２年度に予定されていた次の入札は利権争いが背後にあるらしく、少なくとも1年間の遅延を余儀なくされている状態だ。

２０３０年の「10ＧＷ案件形成」目標にすら赤信号が灯《とも》ったと言えるだろう。

救世主にはなれない地熱発電の限界

読者のなかには、再エネとは太陽光と風力だけではない、地熱があるではないか、と思われる方も多いだろう。何しろ日本は火山国なのだから。

だが、結論から先に言うと、地熱はあくまでもマイナーな存在でしかない。

筆者は２０１４年10月、デビュー作『石油の「埋蔵量」は誰が決めるのか？』を世に問うた直後から書き始めた「岩瀬昇のエネルギーブログ」の第３回目として、このことを２０１４年10月23日に「地熱発電は救世主？」と題して書いている。

その際に参照したＪＯＧＭＥＣが発表している「地熱資源情報」のデータと、今回改めて調べた最新データを比べてみると、各国の地熱資源量はほぼ変わっていない。ただしランキングが図表7-7の表のように微妙に変化しているのが興味深い。

最新データによると、日本の地熱資源量は世界第3位の2万３４７０ＭＷだが、図表7-8にあるとおり、発電設備容量は世界第10位の５５０ＭＷ。２０１５年の５１９ＭＷから６％の微増でしかないことがわかる。

さらに地熱発電の設備利用率は70％と相当高いが、発電量は電力需要の約０・２％だと記載されている。

図表7-7　地熱発電量の世界トップ国の推移

順位	国名	2014年10月時点	国名	2022年８月時点
1位	アメリカ	39,000	アメリカ	30,000
2位	インドネシア	27,000	インドネシア	27,790
3位	日本	23,000	日本	23,470
4位	フィリピン	6,000	ケニア	7,000
5位	メキシコ	6,000	フィリピン	6,000
6位	n.a.		メキシコ	6,000

（単位：MW）

図表7-8　地熱発電設備容量の変化

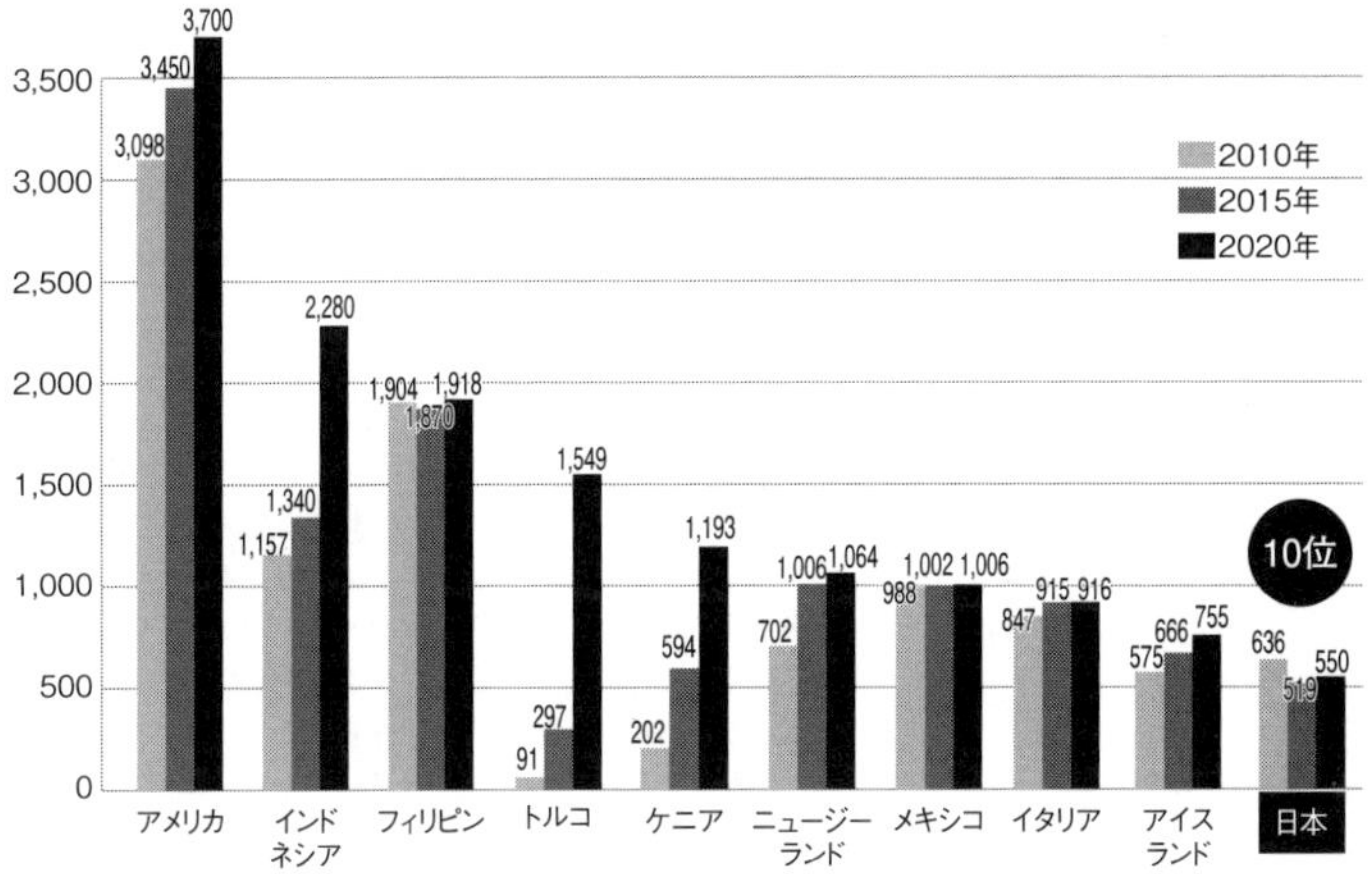

出典：WGC 2015&2020 Update Report

図表7-9　日本の発電電力量の推移

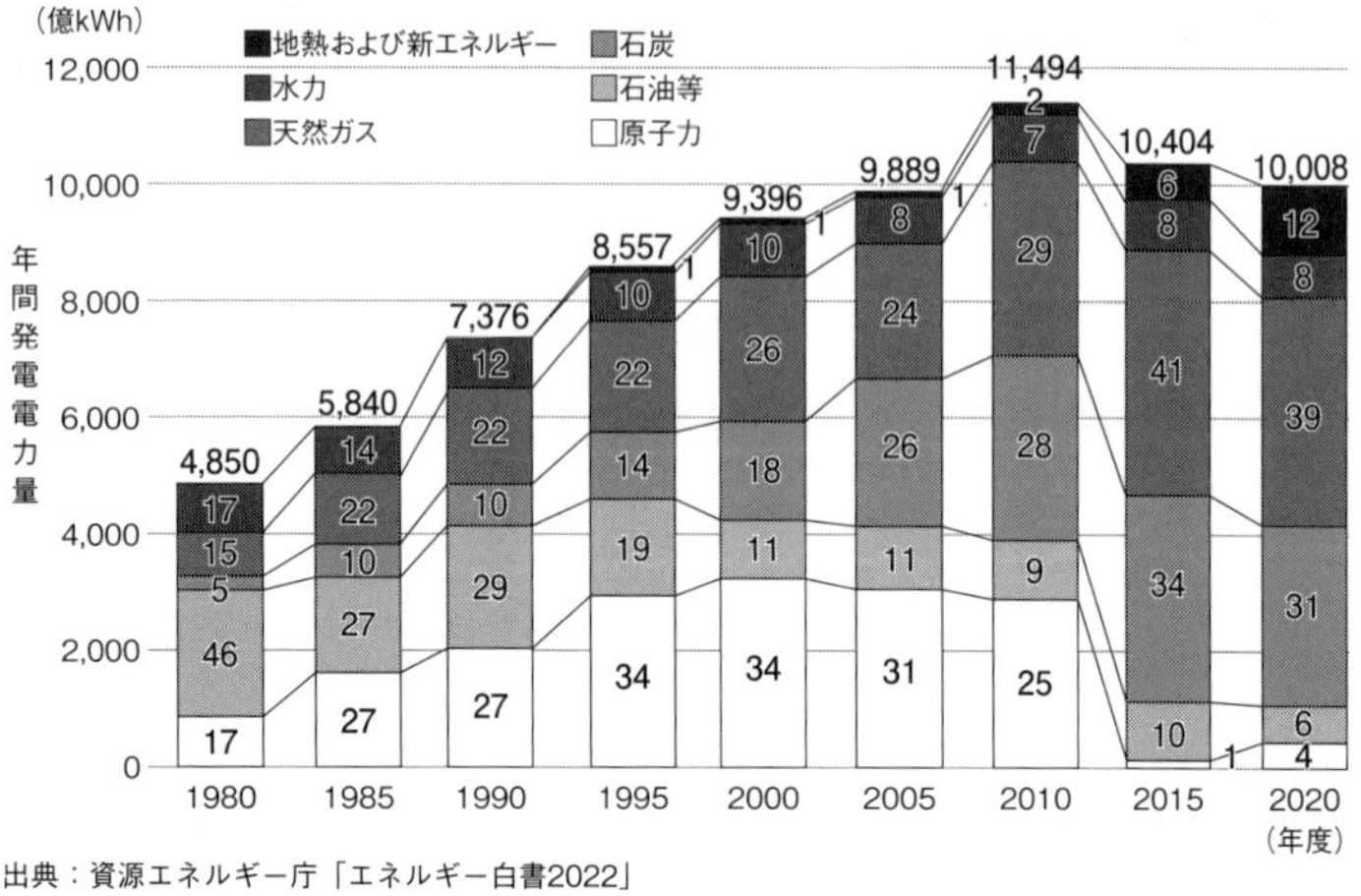

出典：資源エネルギー庁「エネルギー白書2022」

現在の筆者の基本認識は「エネブロ＃3」を書いた2016年10月時点と変わっていない。すなわち、地熱は数少ない自給できる電力源なので注力する必要はある。ただし、冷静な判断をするためには一度「マクロ」で考えてみよう。すると「マイナー」な存在だということがわかる、というものだ。

そもそも日本の電力は、発電設備容量が約260GW（2億6000万KW）で、発電電力量は年間約1兆KWhだ。

そのうえで、日本の地熱発電をマクロで考えると、資源量を最大限に活用できたとしても23GWの発電容量しか確保できず、現存の日本全体の発電容量260GWの9％弱でしかないことがわかるであろう。

さらに、容量ポテンシャルはたしかに9％

弱あるが、実際の発電量は需要の０・２％程度でしかない。この事実から、温泉を生業《なりわい》とする人々もいるし、地熱発電の可能なエリアが国立公園内にあることが多いため、環境保全の観点からも開発があまり進んでいない、というのが現実だということがわかるだろう。

日本には、たしかに地熱はある。だが、やはりマイナーなのだ。

２０３０年までに排出量46％削減という難題

ここまで、石油、ガスなどの化石燃料はもとより、太陽光や風力などの再エネも、わが国のエネルギーニーズを満たすには程遠い量しか供給できない現実を説明してきた。

一方で、地球温暖化問題への対応も行わなければならない。わが国は「２０５０年までに温室効果ガス排出量をネットゼロにする」と宣言しており、そのために２０３０年までに排出量を２０１３年対比46％削減するという目標を打ち出しているからだ。

この「２０５０年排出ネットゼロ」を目指して「２０３０年46％削減」を実現するためにとるべき方策、それは、たとえば現在使用しているエネルギー分野で、可能な限り電気に切り替えていくこと、つまり電化だ。と同時に、電源燃料の脱炭素化を推し進めることも挙げられよう。これが日本のグリーン政策である。

図表7-10　2050年カーボンニュートラルに向けたエネルギー構造の変化

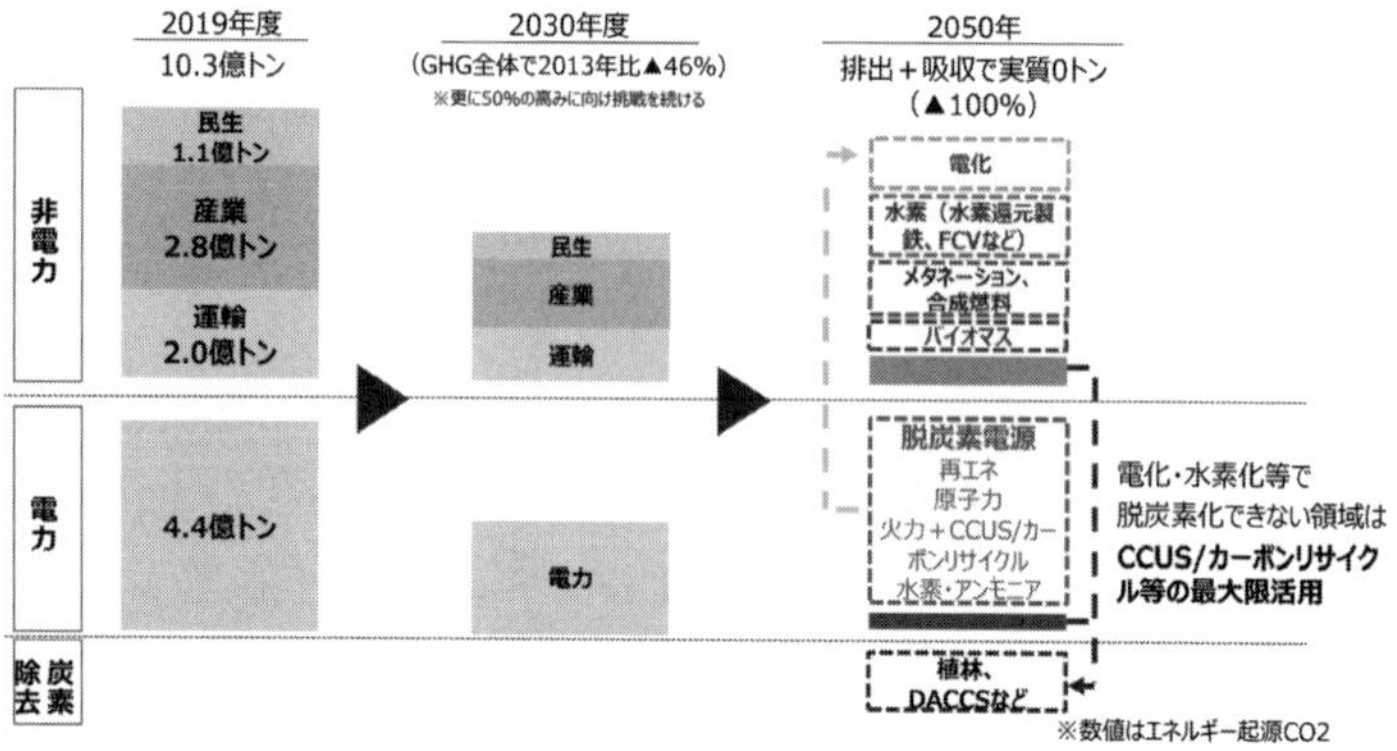

出典：合同会合資料（https://www.meti.go.jp/shingikai/sankoshin/sangyo_gijutsu/green_transformation/pdf/001_02_00.pdf、以下、図表7-12まで同）

日本政府は2021年12月16日、財官学の関係者を集めたカーボンニュートラルに関する「合同会合」の第1回目を開いた。

そこで配布された3つの資料を見ながら、説明していこう。

まず、図表7-10を見てみよう。これは、2019年度のエネルギー起源排出CO_2が10・3億tだったが、2030年度までにはCO_2を含むGHG（Greenhouse Gas＝温室効果ガス）全体で2013年度対比46%削減しなければならず、さらに、2050年までには「ネットゼロ」にしなければならない、ということを図示化したものである。

議論をわかりやすくするため、温室効果ガスの代わりに、この図にある「エネルギー起源CO_2」に焦点を当てて話を進めよう。

見ておわかりのように、２０１９年度のCO_2排出量は非電力部門で５・９億ｔ、電力部門で４・４億ｔ、合計10・３億ｔだった。２０１３年度の排出量は12・４億ｔだったので、２０３０年度の目標排出量はそれを46％削減した６・７億ｔになる。単純に比例按分で削減すると仮定すると、次のような目標値が産出される。

		２０１９年度		２０３０年度
非電力	民生	１・１億ｔ	↓	０・７億ｔ
	産業	２・８億ｔ	↓	１・８億ｔ
	運輸	２・０億ｔ	↓	１・３億ｔ
	（小計	５・９億ｔ	↓	３・８億ｔ）
	電力	４・４億ｔ	↓	２・９億ｔ
	総計	10・３億ｔ	↓	６・７億ｔ

だが、この表には達成するための具体策は記載されていない。

さらに、次ページの図表７-11は資源エネルギー庁が「２０３０年度ミックス（野心的な見通し）」として電源燃料比率目標を掲げたものだ。

図表7-11　2030年度のエネルギー需給見通しのポイント

		(2019年度 ⇒ 旧ミックス)		2030年度ミックス (野心的な見通し)	
省エネ		(1,655万kl ⇒ 5,030万kl)		6,200万kl	
最終エネルギー消費（省エネ前）		(35,000万kl ⇒ 37,700万kl)		35,000万kl	
電源構成 発電電力量: 10,650億kWh ⇒ 約9,340 億kWh程度	再エネ	(18% ⇒ 22~24%)	太陽光 6.7% ⇒ 7.0% 風力 0.7% ⇒ 1.7% 地熱 0.3% ⇒ 1.0~1.1% 水力 7.8% ⇒ 8.8~9.2% バイオマス 2.6% ⇒3.7~4.6%	36～38%※ ※現在取り組んでいる再生可能エネルギーの研究開発の成果の活用・実装が進んだ場合には、38%以上の高みを目指す。	(再エネの内訳) 太陽光 14～16% 風力 5% 地熱 1% 水力 11% バイオマス 5%
	水素・アンモニア	(0% ⇒ 0%)		1%	
	原子力	(6% ⇒ 20~22%)		20～22%	
	LNG	(37% ⇒ 27%)		20%	
	石炭	(32% ⇒ 26%)		19%	
	石油等	(7% ⇒ 3%)		2%	
(＋ 非エネルギー起源ガス・吸収源)					
温室効果ガス削減割合		(14% ⇒ 26%)		46% 更に50%の高みを目指す	

19

出典：合同会合資料

この表の問題点は２つある。

１つは、一次エネルギー全体のエネルギーミックスがないことだ。

そしてもう１つが、発電電力量が２０１９年度１兆６５０億ＫＷｈから２０３０年度約９３４０億ＫＷｈに減少していることである。

１つ目の問題点は、筆者が繰り返し指摘しているように、「エネルギー、イコール電力ではない」ということだ。これは、世の中に流布しているエネルギーをめぐる誤解の１つでもある。

ところが、政府が作成したこの表ですら、あたかもエネルギーとは電力のことだという世の中の誤解に乗っかり、そのうえで、その誤解を拡張しているといえる。これが、意図的なものかどうかは不明だが、いかにもお役所仕事といえるだろう。

改めて説明すると、わが国が消費しているエネルギーのうち電力部門で使用しているのは、投入ベースで４割、消費ベースでは４分の１だけでしかない。これは、資源エネルギー庁が発表している『エネルギー白書２０２１』でも確認できる。

無批判に報じるメディアの責任も大きいが、読者の皆さんはぜひ、電力以外でのエネルギー消費が全体の約４分の３、つまり電力以外に使用されているエネルギーのほうが圧倒的に多いのだという事実を再認識していただきたい。

人・モノの移動のための輸送燃料、生活全般に及んでいる諸物資、諸設備、諸施設の建造・製造にかかわる鉄鋼、セメント、紙パルプ、ガラス産業、さらにはプラスチックに代表される石油化学産業等々、電気以外に使用されているエネルギーのことを無視した議論は、意図的にミスリードするためだと誤解される恐れもある。やはり、一次エネルギー全体のエネルギーミックスについての目標も示すべきではないだろうか。

２つ目の問題点は、脱炭素化のために電力で対応できるエネルギー源はすべて電力に置き換えよう、ということが反映されていないことだ。もちろん、脱炭素電源燃料で発電された電力であることが条件だが、２０３０年度における発電（＝消費）電力量は現在より増加しなければならないはずだ。これも意図的なのかどうかもわからない。

続いて３つ目、次ページの図表７-12には、最初の図表７-10にもあった２０５０年目標

図表7-12　2050年カーボンニュートラルに向けたエネルギー構造の変化

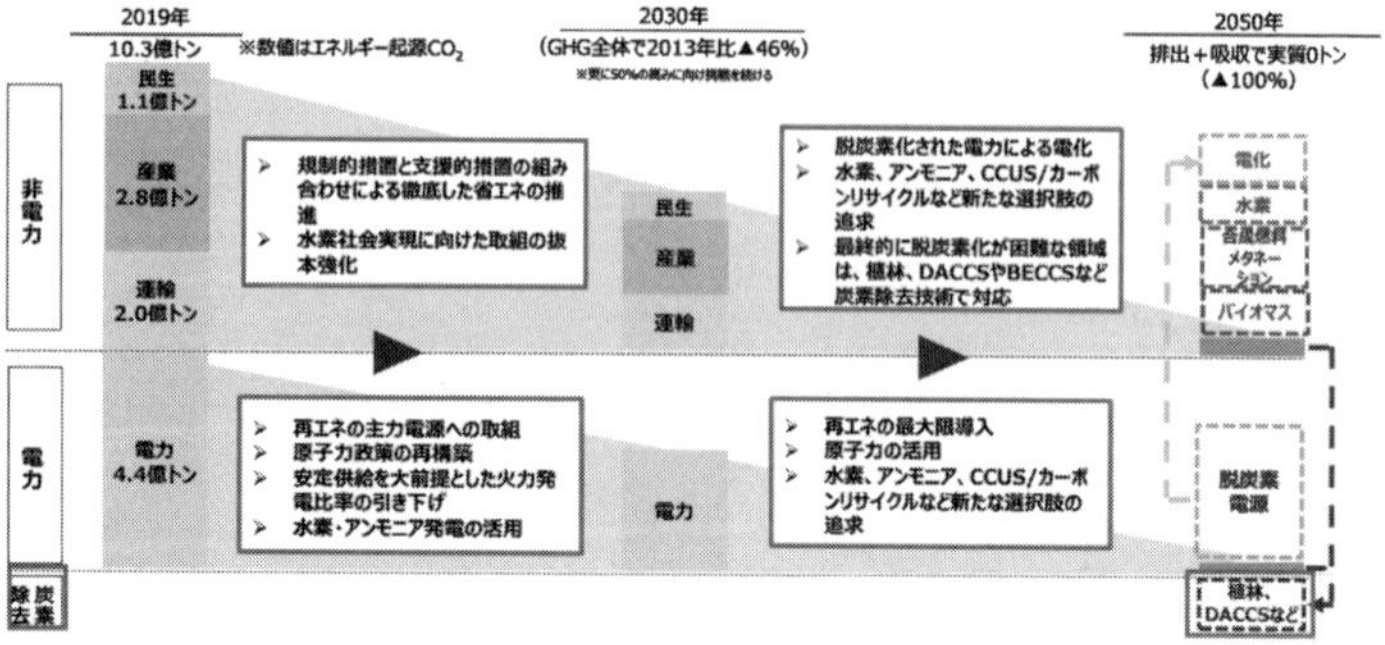

出典：合同会合資料

達成のための具体策に加え、2030年目標達成のための具体策が記載されている。

だが、よく読んでみると、はたしてこれが具体策なのだろうか、という疑問が拭えない。

まず、2030年度までの具体策において、非電力部門でうたわれているのは「省エネ」の推進と「水素」である。

日本は、エネルギーを「持たざる国」の宿命として、1973年の第1次オイルショック以降、懸命に省エネに取り組んできた。したがって、すでに技術的には世界最高水準となっている。これ以上の省エネによる効果は決して大きなものにはならないだろう。

また、前述した古舘恒介氏の『エネルギーをめぐる旅』で紹介されている「ジェポンズのパラドクス」にも留意が必要だろう。これは、19世紀の経済学者ウィリアム・ジェポンズの説で、省エネ技術の発展がコスト削減をもたらし、何も策を講じなければ必然的にさらなる消費増につながる、ということだ。

たとえば電話。ある年代以前の人は覚えているであろう黒電話は、せいぜい一家に１台あるくらいだった。それが技術革新とともにスマホへと発展。すると、たしかに大きさも含めて省エネ化されたが、新型が出るたびの買い替え、あるいは会社用と家庭用の２台持ちなどにより、明らかに黒電話の時代より総量としてはエネルギーを多く消費するようになってしまった。

テレビも同様だろう。小型化、薄型化した結果、やはり一家に１台だったものが、いまや一部屋に１台となってしまった。

話を図表7-12に戻すと、電力部門では、再エネ、原子力の比率拡大に加え、水素・アンモニア発電によりＣＯ$_2$排出量を削減する目標を掲げている。

再エネ拡大の難しさは、前項で説明したとおり。だからこそ、数量的にどこまで発電容量を拡大できるのか、示してほしいところだ。何といっても再エネは「地産地消」であり、輸入に頼ることはできないからだ。

また、水素・アンモニアを２０３０年までに電源燃料として商品化、つまり経済的に消費できるようにすることはまず困難だろう。生産もさることながら、大量輸送・貯蔵面で

図表7-13　イギリスの2050年排出ゼロ達成時のエネルギー源

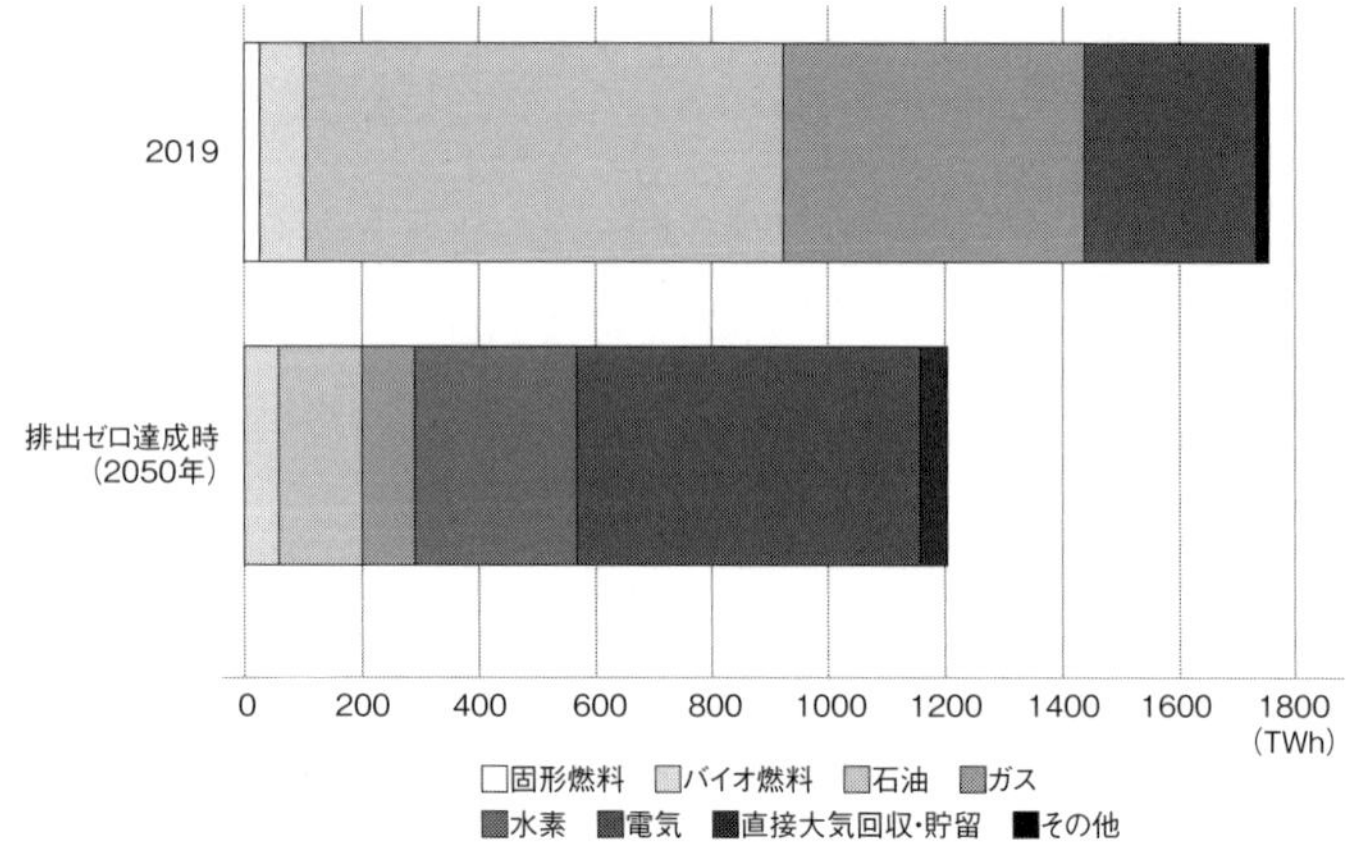

出典：イギリス政府「エネルギー白書」

の技術開発は、端緒についたばかりだからだ。

２０５０年度目標への具体策についても同様の疑問が生じる。はたして、２０５０年における電力（消費）発電量をどう見ているのだろうか。２０３０年度と異なり、数値が記載されていないので定量的議論ができない。

何度も言うが、脱炭素化のカギは、自動車のＥＶ化に代表されるように、電力で代替できるエネルギーはすべて（非炭素電源による）電力で賄うことにある。したがって、将来的に電力（消費）発電量は増加するはずだ。

たとえば、前述したイギリスの「エネルギー白書」では、図表７-13のグラフのように、エネルギー消費量総量は30％ほど減少するが、電力消費量は倍増すると見ている。

日本の電力（消費量）発電量も同じ経過を

たどると考えるのが、自然ではないだろうか。

２０５０年度への具体策についても、非電力部門はすべてが定性的記述にすぎない。しかもＩＥＡ（国際エネルギー機関）の「２０５０年排出ネットゼロ工程表」で、「実現のための前提条件」として挙げられている「前例のない技術イノベーション」が、すべて期待どおり達成できる前提となっている。

さらに「脱炭素化された電力による電化」を目指すのであれば、電力部門では「非炭素電源１００％実現」などの目標年は最低限、記載すべきではないだろうか。たとえば、ドイツは２０３０年に電源燃料の80％を非炭素化、イギリスとアメリカは２０３５年に１００％非炭素化するという目標年を掲げている。

なぜ、このような不備が生じるのか。実は、それは日本の「エネルギー基本計画」の建てつけそのものに根本問題が潜んでいるから、というのが筆者の判断である。

視座があまりに長すぎるエネルギー基本計画

日本のエネルギー基本計画は、２００２年制定の「エネルギー政策基本法」に基づいて作成されている。

同法第12条（エネルギー基本計画）には、次のように記載されている。

政府は、エネルギーの需給に関する施策の長期的、総合的かつ計画的な推進を図るため、エネルギーの需給に関する基本的な計画（以下「エネルギー基本計画」という。）を定めなければならない。

少なくとも三年ごとに、エネルギー基本計画に検討を加え、必要があると認めるときには、これを変更しなければならない。

このように、エネルギー政策基本法では「長期的」な推進を目指すとしているため、第1次エネルギー基本計画（以下「#1」。第2次以降もこの表記に準ずる）では、「はじめに」で「今後10年程度の期間をひとつの目安として定める」としている。そして、それ以降も、この「10年程度」が継承されている。

筆者が「根本問題が潜んでいる」と指摘するのは、実はこの視座の長さである。

「#1」（2003年6月閣議決定）の基本的な方針として、「安定供給の確保」「環境への適合」「市場原理の活用」が掲げられ、「#2」（2007年3月）でも同方針が踏襲されている。

「＃３」（２０１０年６月）は、民主党政権下の２０１０年６月に発表されたこともあり「総合的なエネルギー安全保障の強化」「地球温暖化対策の強化」「エネルギーを基軸とした経済成長の実現」「安全の確保」「市場機能の活用による効率性の確保」「エネルギー産業構造の改革」および「国民の理解」を目指すと、文言が修正されている。

２０１１年３月の東日本大震災による福島第一原子力発電所事故を経た「＃４」（２０１４年４月）は、再び自民党政権下で策定された。注目すべきは「はじめに」だ。そこでは「本計画では、中長期（今後20年程度）のエネルギー需給構造を視野に入れ、今後取り組むべき政策課題と、長期的、総合的かつ計画的なエネルギー政策の方針をまとめている」と、視座が「20年」に拡大されているのだ。

「＃５」（２０１８年７月）では、さらに「２０３０年のエネルギーミックスの実現と２０５０年を見据えたシナリオの設計」を検討する、と「30年」以上先を見据えたものとなっている。

そして、最新の「＃６」（２０２１年10月）では「＃５」を継承し、「気候変動問題への対応と日本のエネルギー需給構造の抱える課題の克服という二つの大きな視点を踏まえて策定する」としているのだ。

このように、わが国のエネルギー基本計画は〝長期の視座〟に重点が置かれている。

つまり、3年後には新たな計画を策定しなければならない一方、その3年間に何を、具体的にどうするのかについて、一切盛り込まれていないのである。

第4章で見たように、5年毎に策定されている中国のエネルギー基本計画は、計画最終年の達成目標を掲げ、その目標への達成率を次回の計画策定時にレビューしている。それに引き換え、わが国のエネルギー基本計画では、計画期間中の達成目標は示されておらず、あくまでも〝長期視座〟の目標に向かっての定性的目標があるのみなのだ。

どちらが「基本計画」の名にふさわしいか、議論の余地すらないのではないだろうか。

トタルと石油公団を分けた〝1億総無責任〟

わが国のエネルギー政策には、もうひとつ〝宿痾《しゅくあ》〟とでもいうべき問題がある。具体的に見ていく前に、エピソードを紹介しよう。

1999年5月、二度目のロンドン勤務をしていた筆者は、地中海のキプロス島で行われたエネルギーカンファレンスに参加した。その場には石油公団（当時）中東事務所に勤務していた某氏も出席していた。

3泊4日のカンファレンスは、英語で講義を聞き、英語で議論をし、食事も他の出席者たちと一緒に、英語で会話をしながらとるプログラムになっていた。人脈構築も目的の1つになっていたのだ。

英語漬けに疲れた邦人参加者たちは、会場のホテルを抜け出し、日本人だけで夕食を楽しむ夜もあった。そんなある日の夕食の席で、石油公団の某氏は濃厚なキプロスワインを片手に、誰に言うでもなくこうつぶやいた。

「フランスのトタルと石油公団は、同じような時期に、同じような目的をもって国家の機関として設立されたのに、いまではトタルはスーパーメジャーの一角に上りつめている。ところが、わが石油公団は解散の憂き目に遭《あ》ってしまった。この違いは、どこから生じたのだろうか」

実はその前年、自民党の総務会長だった堀内光雄《ほりうちみつお》前通産大臣が『文藝春秋』1998年11月号に「通産省の恥部　石油公団を告発する」という一文を寄稿し、公団の不良債権が1兆3000億円に膨れ上がっている実態を世に示したのだ。この〝事件〟によって、いずれ石油公団は解散する、という方向になっていたのだ。

当時の筆者の立場は、英国三井物産石油部長だったが、それまで石油開発の仕事には一切タッチしたことがなかった。したがって、石油公団の某氏の発言に対して、何のコメントを返す知識も経験もなかったので、聞き流しただけだった。

だが、いまならこう言える。

「それは、石油公団が事業主体にならない組織だったからではないだろうか」と。

実は、事業主体にならない国家組織、というのは、エネルギー分野でも石油公団が初めてではない。

昭和天皇をして「油に始まり、油で終わったようなものだ」と述懐せしめた太平洋戦争突入の前、日本は石油不足解消のため、石炭から人造石油を製造することに望みを託した。そこで1938（昭和13）年に、「帝国燃料興業」という半官半民の組織をつくった。その役割は、人造石油製造に携わる民間企業を指導監督し、資金供与をすることだった。詳細については拙著『日本軍はなぜ満洲大油田を発見できなかったのか』を参照されたい。

ここでのポイントは「民間企業を指導監督し、資金供与をする」という役割だ。これは、戦後、海外での石油開発を推進するために創設された石油開発公団にも踏襲されたのだ。当然、後身の石油公団、JOGMECも同様で、それぞれの定款にその旨が明記されている。つまり、戦前も戦後も国策でつくられた日本の石油組織は、事業主体にはならなかったのだ。この仕組みを不思議に思わないのも、おそらく日本人の宿痾なのだろう。いわば、〝1億総無責任体制〟である。

一方の「トタル」は、事業主体になる組織だ。自分たちの意思と力をもって、世界中で原油や天然ガスの採掘を行った結果、スーパーメジャー5社の1社になるほどの発展拡大を遂げたのである。

おそらく今後、クリーンエネルギー関連で国策を遂行する際にも、同じような「業界の指導監督と資金供与」を役割とする組織が主導することになるのだろう。

だが、それでは間違いなく、またもや責任の所在があいまいになる。結局、国家目標を達成できないまま終わることが危惧されてならない。

ゴールポストを動かす既得権益者の〝ムリ筋〟

前述したように、わが国はエネルギー基本計画に則りエネルギー政策を策定し、実行しているものの、目先3年間に何をすべきか、という指針を持っていない。そうしたなかで勃発したのが「プーチンの戦争」である。その結果、エネルギーの脱ロシア依存が目先の課題として浮上してきたのが、2022年春以降の現実と言えよう。

「2050年排出ネットゼロ」という目標に向けて、2030年までに排出量を46%削減することを目指しているが、当面は、後述する保坂伸《ほさかしん》資源エネルギー庁長官の発言にあるように、「超短期の脱ロシア問題のトランジション」に対応しなければならない事態に迫い込まれているのである。
本来であれば、２０２２年11月開催のＣＯＰ27に向けて、前述のカーボンニュートラルに関する第1回「合同会合」の肉づけ作業をしなければならなかった。だが、２０２２年4月14日の第6回「合同会合」では、異例のケースとして萩生田光一《はぎうだこういち》経済産業大臣（当時）が出席し、冒頭次のように述べなければならない事態となっていた。

本日は、エネルギーの安定供給確保に向けた課題や対応の方向性について、ロシアによるウクライナ侵略や電力供給逼迫も踏まえ、御議論をいただければありがたいというふうに思います。併せて、Ｇ7の方針に沿って、再エネや原子力などエネルギー源の多様化、エネルギーのロシア以外での調達先の多角化、とりわけＬＮＧ調達への国の関与強化などを通じてロシアへのエネルギー依存を低減させるためにも、脱炭素の動きを加速させる必要があります。本日は、これまでの議論を踏まえながら、産業などエネルギーの需要側でどのようにエネルギー転換を進めていくべきか、あるべき将来の産業構造の姿も含めて御議論をいただければと思います。

さらに保坂資源エネルギー庁長官も、次のように発言している。

私は脱炭素の流れは変わらないと思います。したがって万感の思いを込めて、中長期の話とトランジションの話があったんだけれども、超短期の脱ロシア問題のトランジションの期間が生じて、これが日本とEUをいま直撃しているということなんです。

このように2022年11月開催の「COP27」に向けて、中長期の対策を打ち出していかなければならない状況下で、目先のエネルギー危機への対応を迫られる事態に追い込まれたのである。

そうしたなか、驚くような事態が発生した。P233で紹介した「2030年洋上風力10GW目標」の足を引っ張るようなことが、行われようとしているのだ。

「足を引っ張るようなこと」とは、洋上風力の入札ルール改定問題である。洋上風力の動きを振り返ると、次のようになっている。

2021年12月、日本で初めて洋上風力入札が落札された。実は、着床式洋上風力の第1回入札は2020年度にも行われたが、120MWの募集に対し1件5MWの応札しかなく、しかも34円／KWh（事前非公表）の上限価格に対し35円／KWhの応札価格であっため「落札なし」という結果だった。

これを発電容量でいうと、わが国の発電容量は約260GWだから、その0・046％を募集したが、実際には0・002％の応札しかなかった、ということになる。

第2回目となった2021年度入札では、秋田県能代市・三種町・男鹿市沖480MW、秋田県由利本荘市沖820MW、および千葉県銚子沖390MWの3件、合計1・69GW（日本の発電容量の0・65％）のすべてが三菱グループの独占落札となった。

しかも、それぞれKWhあたり13・26円、11・99円、16・49円と、上限価格29円（事前公表）を圧倒的に下回る価格での落札だっただけに、業界には激震が走ったのだ。

これだけの安値での落札なので、将来の電気代が相対的に安くなることが期待できる。一般消費者のみならず、日本経済の国際競争力維持のためにも喜ばしいことだった。

だが、想定外の安値落札に驚いた既得権益勢力は、自らの〝甘さ〟を棚に上げて、「価格よりも迅速性」を重視すべきだ、と入札ルール改定への政治圧力をかけ始めたのだ。まさに「ゴールポストを動かせ」という〝ムリ筋〟ぶりである。国民や日本経済にとって電気代を安くすることより、自分たちの商権確保のほうが重要だ、と言わんばかりだ。

舞台裏でどのような駆け引きがあるのかは関知するところではないが、どうやらルール改定となりそうな気配である。この結果、2022年度に予定されていた第3回入札は、ほぼ1年の遅延を余儀なくされている。これは「2030年までに排出量46%削減」という政府方針の実現を妨げるものになるだろう。

2021年2月に「福島原発事故10年検証委員会」の報告書を取りまとめ、公表した東京大学公共政策大学院の鈴木一人教授は、同年3月1日「東洋経済オンライン」に〈コロナと原発、日本の「危機管理」に通じる弱点―「小さな安心」を優先し「大きな安全」を犠牲に〉と題する秀逸な論考を寄稿している。

ポイントはタイトルにあるように、「小さな安心（immediate comfort）」を優先し、「大きな安全（public safety）」を犠牲にしている、ということだ。これは、わが国行政全般の、いやわれわれ日本人の精神構造に根差した思考パターンの問題点だといっていいだろう。

今回の洋上風力の「入札ルール改定」の要求に、政府が応えようとしていることも、こうした〝悪しき思考パターン〟にどっぷりと染まっていることの表れではないだろうか。

「持たざる国」が持つべき「エネルギー戦争」への備え

さて、先に紹介したカーボンニュートラルに関する第6回「合同会合」でも発言が相次いだように、「エネルギーを持たざる国」として「プーチンの戦争」による「超短期の脱ロシア問題のトランジションの期間」に、脱炭素という中長期の課題について、一体何ができるのだろうか。

筆者は次のように考える。

まずは、志賀重昂が指摘したように「油の供給の豊富な國家は光り栄へ、油の無き國家は自然に消滅す」、すなわち「油断国断」となることを国民に丁寧に説明すべきだろう。

本書での表現に沿って言い換えれば、わが国は化石燃料も再エネも「持たざる国」だという冷酷な現実を周知徹底すべきということだ。

その点、イスラエル国民の国防意識が参考になるのではないだろうか。

イスラエルはお国柄、「市民防衛法」という法律に基づき、すべての住居、オフィスなどの建物に防空シェルターが完備されているという。

イスラエルはそもそも、アラブ人が多く住む、大英帝国の委任統治領だったパレスチナの地に1948年に建国された。前年の1947年に国連総会が、パレスチナをアラブ国家とユダヤ国家に分割する決議を採択していたさなかでの独立であったため、以来、1973年まで四度の中東戦争を戦うこととなった。いまでも日常的に、イランが後ろ盾となっている隣国レバノンの政治・軍事組織「ヒズボラ」による攻撃を受けている。

建国以来一貫してイスラエル国民は、いつ何時、敵から攻撃されるかわからない、という緊張感のなかで生活することを強いられてきた。

イスラエルの人々が、防空シェルターがあるのが当たり前、と思っているのと同じように、われわれ日本人は「エネルギーを持たざる国」だとの自覚をもち、今回のような「エネルギー戦争」に備え、政府の資源政策に積極的に関与していくべきなのだ。

政府は、人々に「小さな安心」を与えるために、「大きな安全」問題に気づかせないようにしているのかもしれないのだから。


次に国際貿易の重要性である。振り返れば、「持たざる国」であるわが国が第２次世界大戦後「奇跡の復興」を成し遂げた背景には、世界的に石油が供給過剰状態であり、安価で安定的にその供給を甘受できた、という僥倖があった。

ところが、１９７０年代に二度のオイルショックが起こり、日本人は自らの境遇に気がついた。これまでの繁栄が、ロシアからの安価で安定的なパイプライン天然ガス供給に依存していたことを思い知らされている、現在のドイツ人の姿と重なり合うものだ。

以来わが国は、脱石油、脱中東を旗印にエネルギー供給構造の転換を図ってきた。

それを可能にしたのは、世界が自由で開かれた国際貿易へと転換していたからだ。ひと言で言えば「グローバル化」である。

ところが、「プーチンの戦争」の結果として起こりつつあるのは、「脱グローバル化」(deglobalization)だ。世界は「G7」を中核とするグループと、「アンチG7」のグループとに二分されていくことになるだろう。

たとえ世界がどう再編されようと、わが国のエネルギー安全保障戦略上、絶対的に必要なことは、国際貿易、なかんずくエネルギー貿易がスムーズに遂行されることだ。

したがって日本としては、自由で開かれた国際貿易が何としても守られるような外交政策を推進しなければならない。そこに国家の〝生死〟がかかっているからだ。

となると、現状を考えれば、「G7」諸国と価値観を共有して外交政策を打ち出していく、ということになるのは必定だろう。

もう1つできることがある。それは、技術力の革新強化である。

「パリ協定」の目標達成に向けて、世界は「2050年排出ネットゼロ」への道を歩んでいる。「プーチンの戦争」により「超短期の脱ロシア問題」に直面しているが、保坂資源エネルギー庁長官も発言されているように「脱炭素の流れは変わらない」だろう。

第6章で説明したように「IEAネットゼロ工程表」には多くの、きわめて困難な克服すべき課題があるのは事実だ。だから筆者は、目撃達成は「後ろ倒し」になるのではないかと判断しているが、それでも歩んでいく道筋が変わることはない。

目標を達成するためには、電力で代替できるエネルギーは電力（非炭素電源）で供給する、ということに加え、人類のエネルギー総消費量をどうやって減らすか、という課題を克服することが求められている。IEAの工程表は、2019年との対比で2030年に「7％削減」以後ほぼ横ばいで、2050年には「8％削減」することを掲げている。

この目標も達成困難だと筆者は判断しているが、達成のためのカギを握っているのが、「GDPエネルギー強度」（同一のGDPを生み出すのに必要なエネルギー量）の改善強化だ。端的に言えば、省エネ、エネルギーの効率的使用を意味する。この分野の技術では、日本が突出している。なぜなら「持たざる国」ゆえに、対応を余儀なくされてきたからだ。

もちろん、前述した「ジェポンズのパラドクス」を意識し、目的は同じだけの生産性をより少ないエネルギー供給で賄うことにあるとの基本をきちんと踏まえる必要がある。そのうえで、世界のとりわけ省エネが遅れている国々の技術革新を支援すべきだろう。これも、広い意味で日本が生き残れる国際環境づくりに寄与するはずだ。

〝ひとごと〟を〝わがこと〟にする脱炭素政策

もう1つ、国民に脱炭素化を〝わがこと〟として考えさせるためにも、政府は、いわゆる「カーボンプライシング」導入に関し、国民に呼びかけ説明し、考えてもらい、同意を得る努力をしなければばない。

イギリスは「2050年排出ネットゼロ」を法制化し、政府の義務としている。そして2021年10月「ネットゼロ戦略」（Net Zero Strategy : Build Back Greener）を発表し、次の4つの原則に基づいて対応する、としている

①消費者が選択する
②カーボンプライシングを通じ、最大の汚染者が最大の費用を負担する
③経済的弱者は政府が支援する
④産業界と共同で行う

注目すべきは①と②である。①は、国家の義務である「ネットゼロ戦略」を担うのは一般国民、すなわち消費者だとし、その方法は消費者の選択に委ねるという意味だ。

これはイギリス人にとっては当たり前かもしれないが、とりわけ「お上《かみ》意識」の強いわれわれ日本人こそが傾聴し、かつ参考にすべき考え方であろう。

2020年末から2021年春にかけて開かれ、筆者も委員として参加した経済産業省

の「総合資源エネルギー調査会 資源燃料分科会 石油・天然ガス小委員会」（以下「石天小委」）に、日本テレビ解説委員の宮島香澄氏も参加していた。

宮島氏は２０２０年12月８日の第12回「石天小委」で「エネルギーはニュースにならない」と発言。さらに２０２１年２月19日の第14回「石天小委」では、エネルギー安定供給やエネルギー移行などの問題は、テレビの前に座っているお茶の間の「普通の人は、偉い人がやってくれていると思っている」と指摘していた。それが実態なのだろう。

わが国のこのような実態を踏まえると、納税者である一般国民、すなわち消費者がエネルギー・気候変動問題を〝ひとごと〟ではなく〝わがこと〟として認識し、対処する必要があるのだということを啓蒙するところから始めるべきではないだろうか。つまりは、前述の「油断国断」の周知徹底である。

次に②は、「ネットゼロ実現に必要な費用は汚染者が負担する」とし、方法論として「カーボンプライシングを通じて」ということである。カーボンプライシングとは、気候温暖化の原因となっているCO_2を排出している企業・組織に費用負担させることを目的として、CO_2につける価格のこと。これを利用したCO_2削減策には「炭素税」と「ETS」（Emission Trading System＝排出権取引）の２つの方法がある。

炭素税の仕組みを簡単に説明すると、たとえば、発電企業が発電をすることによりCO_2

を排出する場合、あらかじめ定めた基準量を超えた排出量に対し一定の課税を行うということだ。ただし、その炭素税は電気代に上乗せされ、最終消費者も負担することになる。この炭素税のメリットは、企業にとって将来コストが読めるので、経営計画に織り込みやすいという点にある。

一方、ETSとは、一定基準以上のCO_2を排出する企業は、超過分をオフセットするために「排出権」を購入しなければならない、という仕組みのことだ。このメリットは、排出量削減が自社の利益につながるため、創意工夫を呼び起こし、技術革新が促進されることである。当然だが「排出権」を購入することによるコスト増も、究極的には最終消費者が負担することになる。

民間企業が基礎をつくったイギリスのグリーン政策

ここで1つエピソードを紹介しておこう。

筆者が二度目のロンドン勤務を始めた1998年から2000年にかけてのこと。英大手石油会社BPの知り合いトレーダーからこんな話を聞いた。

BPでは、社内でルールをつくり排出権取引を始めている、と。

すなわちBPでは、日本企業の部・課にあたるビジネスユニット（BU）ごとの数年前の「CO_2排出量」を外部の会計事務所に算出させ、その数値から「数パーセント」削減を義務づけているというのである。

当時のBPでは、世界各地の製油所や地域別石油ガス生産グループなどがBUを形成していた。削減目標を課せられた各BUは、創意工夫を凝らし削減に努力する。削減できないBUは、目標を達成できているBUから「排出権」を購入する義務があった。価格はそのときの需給バランスで決まってくる。そのため各BUは、取引されている排出権価格より安いコストでのCO_2排出削減に努力することになる、というわけだ。

この「BP-ETS」（BP排出権取引制度）は十分に機能していると、知り合いトレーダーが教えてくれたのである。

実は、この「BP-ETS」が、2002年に始まった「UK-ETS」（イギリス排出権取引制度）の基となり、さらには2005年に始まった「EU-ETS」（欧州連合排出権取引制度）の原型となっているという。

繰り返すが、炭素税、あるいはETSによるコスト負担増は、最終的には納税者＝消費者の負担となる。したがって、われわれ国民が制度を理解し、自分たちがコスト負担をしているのだとの強い認識を持たなければならないだろう。

筆者は、2021年10月26日の「エネブロ#791」で〈総理「カーボンプライシング」のご議論を！〉と書いたが、実は政府内部ではそれなりの議論が進められている。

たとえば、環境省が主導する「カーボンプライシングの活用に関する小委員会」や、経済産業省の主催する「カーボンニュートラル実現に向けたカーボン・クレジットの適切な活用のための環境整備に関する検討会」での会合などだ。

だが、決定的に欠けているのは「国民参加」だ。

これは国民側だけの問題ではない。環境省も経済産業省も、実は国民＝消費者の問題として「排出ネットゼロ」を追求する必要がある、とのコミュニケーションが欠落しているのだ。

イギリスが「ネットゼロ戦略」の大原則としてうたっている前述4項目を、わが国もまた「2050年排出ネットゼロ」実現の大原則として、打ち出すべきではないだろうか。

実は数字のマジックにすぎない日本の石油備蓄量

最後に、備蓄の真実について触れおきたい。

資源エネルギー庁の「石油備蓄の現況 令和4（2022）年8月号」によると、6月末

図表7-14　日本の石油備蓄量

	備蓄日数	製品換算	保有量	
国家備蓄	144日分	4,440万kl	原油	4,253万kl
			製品	143万kl
民間備蓄	84日分	2,589万kl	原油	1,171万kl
			製品	1,477万kl
産油国共同備蓄	5日分	152万kl	原油	161万kl
合計	233日分	7,181万kl	合計	7,474万kl

（2022年6月末時点）

現在の備蓄量は図表7－14にあるとおり７４７４万kℓ、２３３日分（ＩＥＡ基準では２１９日分）となっている。

ＩＥＡが加盟国に課している「備蓄義務日数」は90日だから、わが国は圧倒的に多くの備蓄を抱えていることになる。たとえば拙著『石油の「埋蔵量」は誰が決めるのか？』には、「２０１４年5月末現在の備蓄量は１９７日分だった」と記載されている。それが２０２２年6月末には２３３日分に増えているわけだ。

政府による努力は素晴らしい！

そう思った人もいることだろう。だが残念ながら、これは真実ではない。実は単なる数字の〝マジック〟なのだ。

備蓄日数の数え方は、保有備蓄量を前年の輸入量で割った日数となっている。わが国の原油輸入量は

図表7-15　国家備蓄と民間備蓄の量的推移

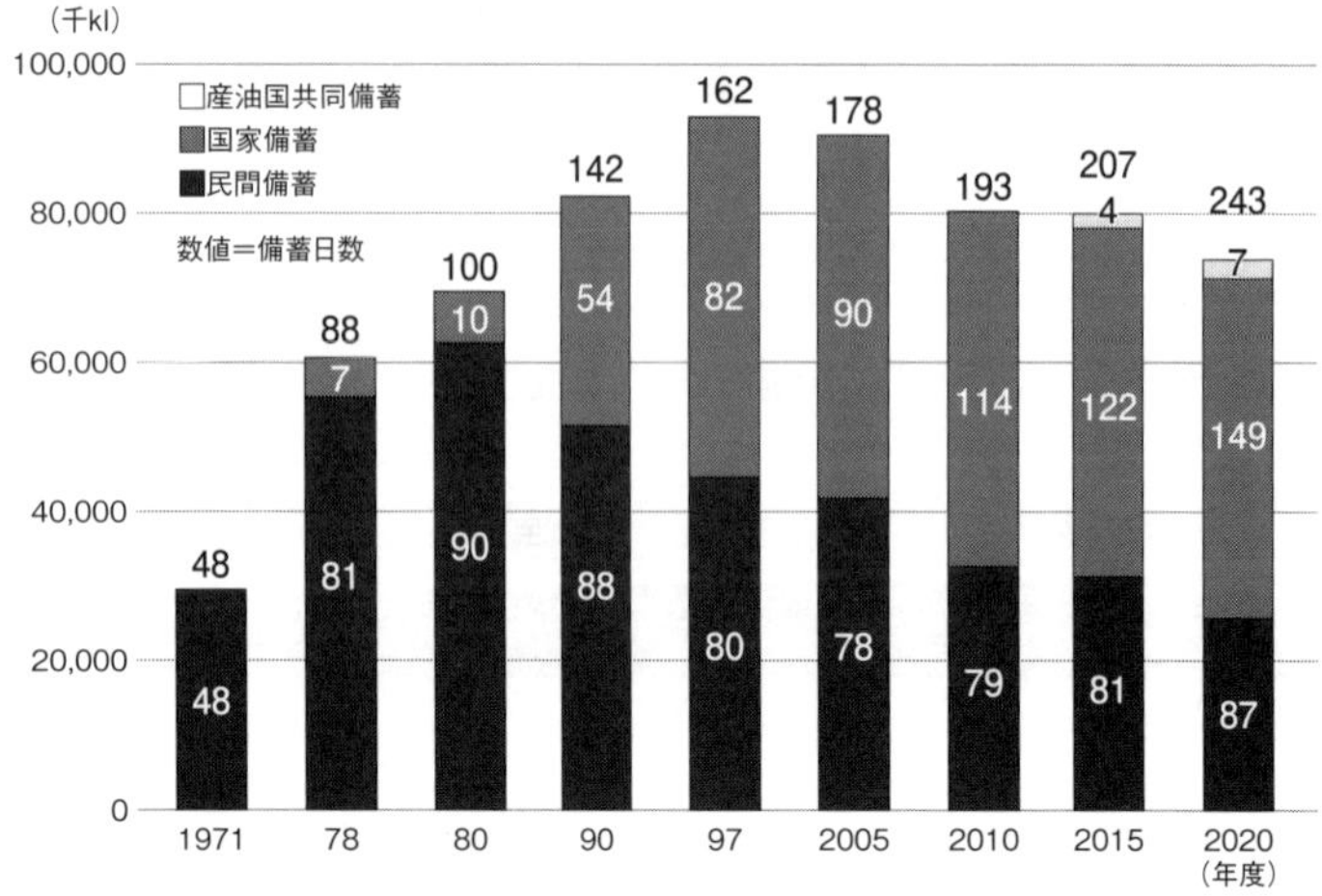

出典：資源エネルギー庁「石油備蓄の現状」

１９９４年以降、右肩下がりで減少しているため備蓄日数が増えているように見えるのだ。実際、図表７-15のグラフで示したように日数は増えている反面、備蓄量のピークはなんと25年以上前の１９９７年度以降、年々減少している。

さらに、２つの〝落とし穴〟がある。

１つは「民間備蓄」である。この数量には、いわゆる運転（操業）在庫、ランニングストックが含まれている。したがって、緊急時に備えるという意味での備蓄量は、政府が発表した数値の３分の１くらいではなかろうか。

もう１つは、サウジアラビアおよびＵＡＥと行っている「産油国共同備蓄」である。これは、産油国に備蓄タンクを貸与し中継原油基地として利用してもらい、緊急時には優先的に使わせてもらうという契約に基づくものである。産油国は大型原油タンカーＶＬＣＣ（Very Large Crude Oil Carrier＝20万重量ｔ以上、約２００万バレル積載可能のタンカー）で搬入し、10万ｔ級タンカーで近隣諸国への販売を行うことができる仕組みである。と同時に、所有権は産油国にあるものの、在庫量の半分をわが国の備蓄としてカウントできることになっていることから、産油国共同備蓄と名づけられているのである。

これは、表面的にはわが国の備蓄能力増強に見えるが、冷静に考えた場合、他国に所有権のある原油の半量を、あたかもわが国のものであるかのように取り扱えるという、財務負担軽減を目論んだだけの方策だといえるのではないだろうか。

おまけに契約書が公開されていないため、はたして本当に「備蓄」としての機能が果たせる条件となっているかどうかすら不明なのだ。

筆者は、石油備蓄を2年分ほど持つべきだと常々主張してきた。

これまでの経験では、供給阻害が発生した場合、人々がパニックに陥るのは半年ほどの期間だった。したがって、パニックに陥りそうな国民に対し「大丈夫、備蓄が2年分あるから」と言えば落ち着くはずだ。逆に1年未満の備蓄では、説得力が半減するのではないだろうか。

それにしても、なぜ、政府は備蓄増強に消極的なのだろうか。

筆者が考えるに、資金を寝かせておくことになるから、国家財政上の金利負担が大きいということが理由の1つだろう。これは、エネルギー供給の安全保障と、国民から預かった税金をどう使うかという〝バランス〟の問題だ。

たとえば政府は、これまで民間企業の石油開発事業に多額の資金を投じてきた。俗に「千三《せんみ》つ」と言われるほどリスクが高いのが石油開発である。成功するより失敗する確率のほうが高いのは事実だ。だが、やり方に問題があったのも事実だろう。

それに対して備蓄とは、石油開発に失敗することなく、石油を支配下に置くための方策と言える。筆者は「油田をわが国に持ってくること」と同義だと主張してきた。前述の経産省の「石天小委」の場でも、そう提言した次第だ。

のちの「ＯＰＥＣプラス」結成につながる、２０１６年初めの油価大幅下落のさなかに書いた『原油暴落の謎を解く』（文春新書、２０１６年）を読み返したところ、その「あとがき」でもこう書いている。

今こそ、石油の国家備蓄を、一朝事があったとしても国民がパニックに陥ることのない水準にまで引き上げるチャンスではないだろうか。

現在の価格水準、40ドル台の価格は、２０１７年頃までウロウロする可能性が高い。だが、それから確実に上昇基調に転ずる。価格が上がる前に、必要な量の原油を買い集め、海外から油田をひとつ移転させるつもりで備蓄すべきタイミングではなかろうか。

日本がみせたしたたかなエネルギー戦略

前述した洋上風力入札方法の改定という異様な展開に、筆者は、２００７年12月にタイのエネルギー大臣だったピヤサワット氏が「タイのエネルギー政策」と題して行った講演のことを思い出していた。民政移管選挙でタクシン派のサマック政権誕生が決まり、クーデター後の暫定政権下で着任したピヤサワット氏の大臣離任は、講演の時点で既定路線だった。そんな折、自らが大臣だった時代のエネルギー政策の概況と、次の大臣に継承してもらいたい政策などについて、「タイ国石油協会」主催の講演会で話したのだ。

大臣の講演の最後のスライドには「天秤」が描かれていた。天秤の片方には「ポピュラーポリシー」（人気のある政策）と書かれ、もう片方には「ライトポリシー」（正しい政策）と書かれていた。

国家エネルギー政策局長官という官僚を経て大臣となったピヤサワット氏が、そのスライドとともに「私は政治家ではないのでライトポリシーを選択することができた。次の大臣は政治家だろうから、ポピュラーポリシーを選択するだろう。だが、国家のエネルギー政策というものは、長期的観点に基づきライトポリシーであるべきなのだ」と結んでいたのが印象的だった。

それからほぼ1年後の2008年11月、国際協力銀行がタイのタマサート大学との共催で「アジアにおける経済統合の将来―国際金融危機のさなかの取り組み」と題するセミナーを開催した。そのセミナーには「アジアのエネルギーと環境」と題するパネルディスカッションの場があり、筆者はパネラーとしてピヤサワット氏と同席する機会があった。休憩時間に前述した講演に触れ「あのスピーチの最後の部分は同感です」と述べたところ、「現実は難しいですよね」と笑っていた。

ピヤサワット氏が回顧したように、タイでも難しいライトポリシーの実行は、わが国でも「現実は難しい」のだろう。だが、ことエネルギー政策に関しては、あくまでも「国家百年の計」に立つべきだ。「持たざる国」わが国の究極のエネルギー安全保障を考慮し、国際競争力を目指して策定、実行すべきなのである。

化石燃料も再エネも、いわゆるエネルギーというものを「持たざる国」わが国は、「More Energy Less Carbon」の同時解決を求められる時代にどう立ち向かうべきか。

筆者は「できること」として、国民の啓蒙、国際貿易推進、技術革新、備蓄、そして国家百年の計に基づくエネルギー政策などを挙げてきた。

そして、最後に申し上げたいのは「したたかに振る舞う」ということだ。

残念ながら「持たざる国」なので、世界の模範となろう、などと考える必要はない。先駆者である必要もない。世界のフォロワーでかまわないと考える。ただし、したたかに振る舞うことで、国際世論からの反発を招かないようにうまく立ち回ろう、というわけだ。

実は最近の日本の振る舞いには、まさに「したたか」と思われる局面が多々あった。

たとえば２０２１年秋、および２０２２年春の「備蓄放出」がそれだ。

２０２１年秋には、Ｇ７の一員としてアメリカ主導の備蓄放出に日本も同調した。そして２０２２年春には、ＩＥＡ主導の備蓄放出にも参加した。そして、これらの行動はＧ７諸国およびＩＥＡの他加盟国から認められた。大いに結構なことである。

だが、実際にしたことは何か？

２０２１年11月24日朝、岸田首相は記者団に対し「石油備蓄法に反しない形で国家備蓄を放出する」と語った。この報に接したとき筆者は、そんなことができるのか、と怪訝《けげん》に思った。なぜなら、石油備蓄法で放出が認められるのは、日本への石油の供給が不足するか、不足の恐れがある場合、あるいは災害時に限っており、価格抑制のための放出はできないからだ。

だが、その後、松野博一《まつのひろかず》官房長官の「従来から行ってきた、油種《ゆしゅ》の入れ替えを前倒して実行することとしたもの」という発言を聞き、疑問がたちどころに氷解した。

あまり知られていないが、備蓄タンクも消防法に基づき数年に一度、開放点検作業を行う必要がある。そのたびにまず入札を行い、備蓄タンク内の原油を売却して空にし、点検開放作業を行う。そして消防庁の許認可を得たうえで再度入札を行い、備蓄タンク内に原油を同数量、買い入れるのである。

これが松野官房長官の言う「入れ替え」であり、事前に長期にわたりスケジュール化されているものだ。政府は、これを前倒しして実行することをもって「備蓄法に反しない形で、備蓄の放出を行う」と発表したのだ。後刻、再度入札を行い、備蓄数量を元に戻すことはあえて触れずに、である。

次いで2022年春、IEA主導の石油備蓄放出に参加するため、3月10日と4月15日、二度にわたり備蓄放出をすると発表した。

だが、資源エネルギー庁は、3月10日には民間備蓄義務を70日から66日分に引き下げることで750万バレルの「放出」を行い、4月15日には、民間備蓄義務をさらに3日分引き下げると発表している。この結果、国家備蓄を900万バレル、民間備蓄を600万バレル、合計1500万バレルの放出を行うことにしたのだ。

ただし、実はこれはつじつまが合っていない。4日分で750万バレルなら、追加3日分で560万バレルの民間備蓄義務引き下げになるはずだ。つまり、民間備蓄義務の引き下げで、表向きは1310万バレルの放出になるはずだからだ。

詳細は不明だが、IEAの備蓄日数の数え方や母数のとり方が「年度」ごとの輸入数量であるため、この論法でもIEAの了解がとれたと思われる。いずれにせよ、実際は新たなことは何もせずに、しかし、G7やIEAと見事に共同歩調をとることができたのだ。

これこそ国益に合致した「したたかな」外交的対応、と言っていいのではないだろうか。

これから「超短期の脱ロシア問題のトランジションの期間」にも、中長期の「脱炭素化の過程」でも、多くの難題が降りかかってくるだろう。

その際も、まずは国益優先で、海外からの批判、非難を回避しつつ「したたかに」振る舞うことが求められているのは言うまでもない。

こうした点にも、われわれ国民は注視すべきであろう。

おわりに

それは6月初めの一通のメールから始まった。

「エネルギーに関する本を一緒につくらせていただきたい」

「具体的には、今般のロシア・ウクライナ軍事衝突、あるいはそれ以前から続く覇権争いの実態、SDGs、シェール革命の意味合い、そして日本のとるべき道筋など、今、そして近い将来に起こり得るエネルギー問題の本質を解説していただくという内容の本を」

ビジネス社編集部からのメールだ。

実は、ビジネス社という出版社のことを知らなかった。知己の某出版社の編集者に相談してみた。だが、彼も「社名は聞いたことがある」程度だった。「河出書房新社」から分離した会社うんぬんとウィキペディアにはあるが、それ以上はわからない、と。

並行して筆者もネット検索をしてみた。

すると、最近は「何でも」手がけていることがわかった。ウィキにも「ビジネス、自己啓発、キャリア、経済・経営、国際情勢、スピリチャルなど、幅広いジャンルの書籍を発行」している、とある。

「何でも」というのは、実は好きではない。

レオナルド・ダ・ビンチの時代と違って現代は、情報も知識もあふれかえり、分野ごとに細分化、深化、発展している時代なので、ひとりの人間がすべてのことに通暁《つうぎょう》することは不可能だ、と考えているからだ。

断るつもりで東京・神楽坂にあるビジネス社を訪問した。

典型的な昭和人間である筆者は、一緒に仕事をする人の職場環境をチェックすることをルーティーンにしている。これも「三井物産」で社会人教育を受けた影響なのだろう。社内が整理整頓されているか、社内の雰囲気はどうか、あるいは来客に対する応対態度はどうか。

サラリーマンを卒業後、ひょんなことからエネルギーアナリストとして原稿を書いたり、メディアでエネルギーに関するニュース解説などをするようになったが、仕事の依頼を引き受ける前にこのルーティーンを守らなかったことはない。どんな短い文章の寄稿依頼であっても、必ず依頼先のオフィスにお邪魔し、事前打ち合わせをさせていただいていた。

断るつもりで編集者に会いに行ったのだが、結局、書かせていただくことになった。

なぜか。

まず「何でも」扱っている、という問題。聞けば「ビジネス社」では、編集者が面白いと思う分野であれば何でも取り上げる、という方針なのだそうだ。

もちろん、社内の企画会議があり、そこを通らなければ次の段階に行くことはない。本書も企画会議を通ったうえで、筆者に連絡をしてきたとのことだった。

すると問題は、編集者が面白いと思ったテーマを、どこまで真剣に考えているか、勉強しているか、依頼する著者をその気にさせられるか、にかかっていることになる。

つまりは、編集者次第なのだ。

打ち合わせをしていて、声をかけてきた編集者が真摯にエネルギー問題を考えていることがわかった。

ロシアがウクライナに侵攻したことで、世界はエネルギー危機に襲われている。日本への影響も必至だろうが、現代を生きる多くの人たちはエネルギー問題を真剣に考えたことがない。なぜなら「オイルショック」も歴史上の出来事で、エネルギー問題をわがこととして考える必要がなかったからだ。

たとえば、つい2年前にはマイナス38ドルで取引された原油が、なぜロシアのウクライナ侵攻で100ドル以上に高騰したのか？

制裁を課せられているのに、なぜロシアのエネルギー輸出収入は減少するどころか増えているのか？

中国は世界第6位の産油国なのに、なぜ世界最大の輸入国なのか？

アメリカのシェール革命は役に立たないのか？


と、これらの質問に答える形で打ち合わせをしていたら、2時間が経過していた。

この人なら僕の〝伴走者〟になってくれる。

そう、思った。

著者というのは、自分の思いに集中しすぎるものだ。読者の興味関心がどこにあるのか、往々にして見失いがちだ。また、世の中の人は当然こんなことは知っているだろう、と書かないこともある。あるいは書いているものの背後にある著者の思いに、自ら気がつかず、言葉足らずのことも多い。

編集者は、読者とのあいだの「通訳」として、著者の心の「代弁者」として、非常に重要な役割を果たしている。

だから著者には、〝伴走者〟としての編集者が必要なのだ。

この人とならいい本が書ける。

そう、確信した。

かくて本書が生まれることになった。


「電気料金が高騰するだろう、次の冬が到来する前に出版したい」

それが、プロの編集者の要望だった。

逆算すると、夏のあいだに初稿を書き上げる必要がある。1冊の本にするには8万字から10万字が必要だ。夏休み中に仕上げるためには1週間で1万字、1日あたり1500字は書かなければならない。

そうだ、小学生のころを思い出して、8月31日を締め切りにしよう。それまでに初稿を仕上げて、送ろう。

「夏休みの宿題」だ。

かくて1日1500字、1週間で1万字書くことを自らに課し、夏の毎日を過ごした。

そして8月31日の夜、ともかく送った。

その後、何度かやりとりをして、とうとう印刷に回ることになったのだ。

出来栄えについては、読者の皆さんの判断に委ねるしかない。

だが、1970年代のオイルショック以来のエネルギー危機を迎えている2022年末、ぜひ、1人でも多くの人に本書を手にしてもらい、「持たざる国」わが国のエネルギー問題を一緒に考えてもらいたいと切に願っている。

事態は時々刻々動いており、本書を読んでいて読者の皆さんがさらに疑問に思うことも多いだろう。ぜひビジネス社宛てに質問を、ご意見を寄せていただきたい。可能な限り、何らかの形でお答えしたいと思う。

2022年11月吉日　遠くに冬支度を始めた富士山を眺めながら

岩瀬昇

●翻訳書
『石油の世紀 支配者たちの興亡』(ダニエル・ヤーギン、日本放送出版協会、1991年)/『探求 エネルギーの世紀』(ダニエル・ヤーギン、日本経済新聞出版社、2012年)/『新しい世界の資源地図　エネルギー・気候変動・国家の衝突』(ダニエル・ヤーギン、東洋経済新報社、2022年)/『The World for Sale 世界を動かすコモディティー・ビジネスの興亡』(ハビア・プラス、ジャック・ファーキー、日本経済新聞出版、2022年)/『シェール革命 夢想家と呼ばれた企業家たちはいかにして地政学的変化を引き起こしたか』(グレゴリー・ザッカーマン、楽工社、2022年)/『石油の帝国 エクソンモービルとアメリカのスーパーパワー』(スティーブ・コール、ダイヤモンド社、2014年)/『21世紀のサウジアラビア 政治・外交・経済・エネルギー戦略の成果と挑戦』(アンソニー・H・コーデスマン、明石書店、2012年)/『石油国家ロシア』(マーシャル・I・ゴールドマン、日本経済新聞出版社、2010年)/『プーチン、自らを語る』(N・ゲヴォルクヤン、N・チマコワ、A・コレスニコフ、扶桑社)

●未邦訳
"Oil Politics – a modern history of petroleum" (Francisco Parrra, I,B,Tauris, 2004) / "Crude Volatility – The History and the Future of Boom-Bust Oil Prices" (Robert McNally, Columbia University Press, 2017) / "How Mitchel Energy & Development Corp. Got Its Start and How It Grew" (Joseph W. Kutchin, Brown Walker Pr, 2001) "Wildcatters – Texas Independent Oilmen" (Roger M. Olien & Diana Davids Hinton, Texas A&M University Press, 1984) / "Out of the Desert – My Journey from Nomadic Bedouin to the Heart of Global Oil" (Ali Al-Naimi, Penguin Random House UK, 2016) / "MBS – The Rise to Power of Mohammed bin Salman" (Ben Hubbard, William Collins, 2020) / "The Bridge – Natural Gas in a Redivided Europe" (Thane Gustafson, Harvard University Press, 2020)

主要参考文献

●メディア

日本経済新聞／NHK／Financial Times／Reuters／Energy Intelligence／BBC

●主要組織月報、年報他

IEA（国際エネルギー機関）／OPEC（石油輸出国機構）／EIA（エネルギー情報局）／BP Statistical Review of World Energy（BP統計集）／GWEC（世界風力エネルギー協会）／GIIGNL（LNG輸入社国際グループ）／GIIGNL（エネルギー金属鉱物資源機構）／エネ研（日本エネルギー経済研究所）／経済産業省資源エネルギー庁／経済産業省総合資源エネルギー調査会資源・エネルギー分科会石油・天然ガス小委員会

●書籍

『石油の「埋蔵量」は誰が決めるのか』（岩瀬昇、文春新書、2014年）／『日本軍はなぜ満洲大油田を発見できなかったのか』（岩瀬昇、文春新書、2016年）／『原油大暴落の謎を解く』（岩瀬昇、文春新書、2016年）／『超エネルギー地政学』（岩瀬昇、エネルギーフォーラム社、2018年）／『エネルギーをめぐる旅 文明の歴史と私たちの未来』（古館恒介、英治出版、2021年）／『知られざる国々』（志賀重昂、国会図書館近代デジタルライブラリー、1925年）／『現代ロシアの軍事戦略』（小泉悠、ちくま新書、2021年）／『ウクライナ戦争の衝撃』（増田雅之〈編著〉新垣拓・山添博史・佐竹知彦・庄司智孝〈著〉、インターブックス、2022年）／『戦争はいかに終結したか 二度の大戦からベトナム、イラクまで』（千々和泰明、中公新書、2021年）／『プーチンのエネルギー戦略』（木村汎、北星堂書店、2008年）／『中国の石油産業』（神原達・斎藤隆・平川芳彦・山内一男、幸書房、1985年）／『北樺太石油コンセッション1925-1944』（村上隆、北海道大学図書刊行会、2004年）

【著者】

岩瀬　昇（いわせ・のぼる）

1948年、埼玉県生まれ。埼玉県立浦和高等学校、東京大学法学部卒業。1971年、三井物産に入社後、2002年より三井石油開発に出向、10年より常務執行役員、12年より顧問、14年6月に退任。三井物産に入社以来、香港、台湾、二度のロンドン、ニューヨーク、テヘラン、バンコクでの延べ21年間にわたる海外勤務を含め、一貫してエネルギー関連業務に従事。現在は、新興国・エネルギー関連の勉強会「金曜懇話会」の代表世話人として後進の育成、講演・執筆活動を続ける。

著書に『石油の「埋蔵量」は誰が決めるのか?』『日本軍はなぜ満洲大油田を発見できなかったのか』『原油暴落の謎を解く』（以上、文春新書）。『超エネルギー地政学 アメリカ・ロシア・中東編』（エネルギーフォーラム）。

「岩瀬昇のエネルギーブログ」（https://ameblo.jp/nobbypapa/）発信中。

武器としてのエネルギー地政学

2023年1月1日　第1刷発行
2023年3月1日　第2刷発行

著　者　岩瀬　昇
発行者　唐津　隆
発行所　株式会社ビジネス社
〒162-0805　東京都新宿区矢来町114番地　神楽坂高橋ビル5F
電話　03-5227-1602　FAX 03-5227-1603
URL　https://www.business-sha.co.jp/

〈カバーデザイン〉HOLON
〈本文DTP〉茂呂田剛（エムアンドケイ）
〈印刷・製本〉モリモト印刷株式会社
〈編集担当〉大森勇輝　〈営業担当〉山口健志

ISBN978-4-8284-2470-5